LA GLORIETA
DE LOS FUGITIVOS

vOCₑS / LITERATURA

COLECCIÓN VOCES / LITERATURA

Visite nuestro fondo editorial en www.ppespuma.com

Primera edición: agosto de 2007

ISBN: 978-84-95642-96-7
Depósito legal: M-30751-2007

© José María Merino, 2007
© De esta portada, maqueta y edición,
Editorial Páginas de Espuma, S. L., 2007
c/Madera 3, 1º izq. 28004 Madrid
Tel.: +34 915 227 251 Fax: +34 915 224 948
E-mail: ppespuma@arrakis.es

Impreso en España, CEE. Printed in Spain.

Composición: equipo editorial
Fotomecánica: FCM
Impresión: Omagraf, S.L.
Encuadernación: Seis S.A.

José María Merino

LA GLORIETA
DE LOS FUGITIVOS

PÁGINAS DE ESPUMA

Índice

SEGUNDA PARTE: LA GLORIETA MINIATURA

LA GLORIETA MINIATURA (VEINTICINCO PASOS)

Trance gozoso, este de andar buscándole, imaginándole, un nombre a la criatura: microrrelato, minificción, ¿por qué no nanocuento?

Mientras le encontramos el nombre, con esta sensación incomparable de ir descubriendo la realidad de un nuevo continente, ojalá su pequeño fulgor, desde brevísimos textos literarios palpitantes de ficción verdadera, ilumine intensas fascinaciones narrativas.

JOSÉ MARÍA MERINO

PRIMERA PARTE:

CIENTO ONCE FUGITIVOS

I. De *Días imaginarios*

Acechos cercanos

Las tazas tienen el asa a la izquierda, pero los tazos la tienen a la derecha. Los cucharos ofrecen una concavidad menor que las cucharas. Las púas de los tenedores son menos afiladas que las de las tenedoras. ¿Qué resultará cuando empiecen a reproducirse? Eso que parecen desvanecimientos del azogue, no son sino los ojuelos con que los espejos nos miran. En el extremo de los brazos de los sillones permanecen disimuladas unas largas garras. Los colchones ocultan los estómagos y los intestinos de las camas. Por ahora, se han alimentado de sueños. Fue comprendiendo poco a poco que los objetos domésticos parecían inertes, pero que estaban al acecho. La noche de fin de año abandonó la casa con toda su investigación. Cuando lo encontraron en la habitación del hotel, el agua rebosante del baño casi había disuelto la tinta de los documentos. Enroscada con fuerza en el cuello, la goma de la ducha parecía una serpiente.

Carrusel aéreo

¿De modo que también han retrasado su vuelo? Pues entonces tenemos tiempo de sobra. Ya le dije que yo he sufrido muchas de estas huelgas. Había pasado varias cuando en una de ellas, esperando la oportunidad de la salida en el aeropuerto de Pamplona, conocí a Judith, una barcelonesa que trabaja en asuntos parecidos a los míos. Nos caímos bien y fuimos intimando, nos hicimos lo que se pudiera llamar novios, y el puente aéreo nos unía los fines de semana. Después de un tiempo, cuando parecía claro que estábamos hechos el uno para el otro, una de estas huelgas retrasó nuestra cita durante más de un día. Tuve que pasar demasiadas horas sólo en el aeropuerto, pero allí estaba Milagros, una malagueña profesora de francés. Simpatizamos, y conocerla me hizo reflexionar sobre mi proyectado matrimonio con Judith. Después del verano, ya salía con Milagros. También nos veíamos sólo de vez en cuando, pero esas relacionas tienen siempre mucho incentivo para vivirlas. La cosa había cuajado entre nosotros, y yo preparaba mi viaje para conocer a su familia, cuando otra huelga me retuvo en Barajas. Entonces conocí a Alma, una jovencísima bióloga sueca. ¿Usted ha oído hablar del flechazo? Fue eso, exactamente. Me encontraba con Alma mucho menos de lo que lo había hecho con las otras, pero lo nuestro sí que era pasión, sobre todo en vacaciones. Precisamente unas vacaciones interrumpió mi encuentro con Alma una de estas dichosas huelgas, y ella debió de conocer a alguien más interesante que yo mientras esperaba, el caso es que cuando nos vimos me dijo que lo nuestro quedaba cancelado. Estuve sin novia una temporada, pero otra huelga me hizo pasar unas cuantas horas en el bar con una gallega de nombre Margariña. Mi corazón se enamoró otra vez, qué quiere que le diga, y mi viaje de hoy es para buscar piso, porque estoy pensando trasladarme a Pontevedra y casarme con ella. Antes eran los dioses, hoy son esos pilotos. Cambia la cara, pero siguen siendo las manos del destino. Menos mal que la espera se hace muy agradable, y hasta se agradece, cuando uno tiene la suerte de conocer a una mujer tan guapa y tan simpática como usted.

OTRA HISTORIA NAVIDEÑA

ENTRE LOS INMIGRANTES que habían arribado ilegalmente en la embarcación figuraban también dos subsaharianos, un hombre y una mujer en avanzado estado de gestación. Los agentes que suscriben siguieron su rastro por la rambla de Cala Carbón, desde la playa hasta unos antiguos establos que se encuentran unos cien metros al norte de la carretera del faro. Cuando los agentes llegaron, ya se había producido el alumbramiento. Unos pastores que tienen sus rebaños en la zona habían prestado auxilio a los dos subsaharianos, que presentaban síntomas de agotamiento y deshidratación. El niño ha muerto.

Lejanías

No hay demasiada gente y puedo ver con claridad a la mujer desde el mismo momento en que entra en el vagón. Hay algo raro en sus ropas y en su actitud. Cubre su cabeza con una pañoleta oscura, las puntas atadas en la nuca, y los hombros con una toquilla parda. Salvo por los zapatos deportivos, parecería una campesina de otra época. De uno de sus hombros cuelga una especie de zurrón, y lleva en una mano un vaso de plástico, mientras enarbola en la otra un objeto que no puedo distinguir todavía. Con voz aguda, trémula, y con aire de súplica, la mujer inicia una larga parrafada, en la que sólo se entienden dos palabras, una que se parece a «señores» y otra que habla de alguna parte de la Europa del sur oriental. Algunos pasajeros buscan monedas en los bolsillos y las depositan en el vaso de la mujer. Cuando está más cerca, puedo ver que el objeto que presenta es la fotografía de un grupito de personas. Entonces percibo un movimiento en la mujer que va sentada a mi lado, y me encojo con gesto instintivo, imaginando que ha movido sus brazos para buscar en su bolso alguna limosna con destino a la exótica pedigüeña. Mi vecina lleva un bolso de lona viejo y viste un abrigo bastante raído. Sin embargo, su gesto no indicaba ninguna búsqueda en su bolso, sino un movimiento del cuerpo, el de ponerse en pie. Lo hace, y casi al mismo tiempo empieza a dar voces rabiosas, en un idioma también desconocido, dirigidas a la mujer que viene por el pasillo con su vaso de plástico y su fotografía. La otra se queda quieta, atónita, pero enseguida responde a las imprecaciones de mi vecina con gritos destemplados. Separadas por un pequeño espacio, ambas mujeres se gritan, se recriminan, tal vez se insultan, en esa lengua extranjera, incomprensible. El metro se ha detenido en una estación y, como si la parada marcase la culminación de una crisis, las mujeres se callan, se miran, y de repente echan ambas a llorar, una frente a la otra, con largos gemidos la mendiga, con hondos sollozos mi vecina, mientras el resto de los pasajeros, sin comprender nada, sentimos pasar a nuestro lado el ángel de la desolación.

De fauna doméstica

Por el momento, las pruebas de su existencia parecen ser determinadas señales físicas que los investigadores menos escépticos defienden como evidencias: la exhalación de su aliento, huellas de su cuerpo, su color, su olor, su canto. De su silenciosa respiración sería testimonio la leve corriente de aire que, a veces, percibimos en la nuca o en las orejas, aunque en la casa todas las ventanas estén cerradas. La precisión del soplo vendría a ser indicio de un largo apéndice que pudiéramos llamar nasal, quizá retráctil. Un reflejo de su color lograría asomar en la penumbra del pasillo, o de las alcobas, a la hora vespertina, con el sol declinante: el suave resplandor nacarado, parecido a la ceguera de los espejos, que denunciaría un cuerpo blanquecino, cubierto de pellejo, plumón o escamas, capaz de reflejar la luz con mayor intensidad que una piel desnuda y mate. Que su cuerpo puede cambiar de tamaño lo confirmarían las diversas señales que se consideran suyas, tanto esas huellas que deforman sin motivo aparente la larga superficie de las colchas o la panza de los cojines, como las pequeñas oquedades que suelen aparecer en la harina, el azúcar o el pimentón cuando abrimos el bote que los guarda. Su olor, aunque diverso, es característico: no del todo agradable, pero tampoco hediondo, es ese que puede sorprendernos de repente en casa, sin que seamos capaces de descubrir su procedencia. Al parecer, su canto imita con tal certeza los sonidos de la rutina cotidiana, que es casi imposible distinguirlo del goteo del grifo, la descarga de una cisterna, el tictac de un viejo reloj, el rumor del tráfico en la calle o el súbito zumbido de la lavadora. Nunca se han encontrado rastros inconfundibles de sus pisadas, y hay quien sugiere que se movería volando o reptando. Su capacidad de volar corroboraría lo plumoso del cuerpo; la alternativa nos induciría a suponerlo cubierto de pellejo peludo o de piel escamosa. Nadie ha podido conocer de qué se alimenta y tampoco se han hallado sus excrementos. Hay quien propone que se nutriría de nuestras exhalaciones psíquicas, quizá mientras dormimos. Se adapta bien a las casas donde abundan los libros: las pequeñas arrugas y raspaduras de ciertas páginas y cubiertas, las manchitas que deforman algunas letras, serían señal de que los utiliza como guarida. La cualidad que puede atribuírsele sin confusión ni engaño es la invisibilidad, única evidencia que nadie, hasta ahora, ha conseguido refutar.

ENSOÑACIONES

16 DE ENERO. Has viajado hasta esa ciudad para presentar la novela de un colega amigo que ha recibido un premio literario. Descansas en la cama del hotel antes de que tenga lugar el acto. Suena el ruido, bastante molesto, del sistema de acondicionamiento de aire. Aunque has viajado solo, parece que hay alguien en el cuarto de baño, y aceptas esa presencia con la apatía ante los hechos insólitos propia de los sueños. La presentación se celebrará a las siete treinta, pero por esa torpeza y esa lentitud invencibles comunes también a los sueños, te retrasas. Sales al fin del hotel, hay mucha gente en la calle, buscas el lugar, dan las ocho, las nueve, no eres capaz de encontrarlo. Comprendes que estás perdido, sientes desasosiego, y en ese momento despiertas. Te levantas a oscuras, sales de la habitación, buscas a tientas tu mesa en el estudio de tu casa, enciendes la luz y, medio dormido todavía, anotas ese sueño que tanto te ha desazonado. Vuelves a la

cama esperando seguir soñando el mismo sueño que, dentro de su capacidad para inquietarte, tenía intensidad y certeza. Estás en la cama del hotel, pero, aunque has viajado solo, notas que hay alguien más en la cama. Extiendes la mano y percibes un cuerpo. Enciendes la luz. En la cama, a tu lado, hay un anciano, con aspecto de vagabundo, de mendigo, que parece estar muerto. Sales de la habitación. Entras en el estudio de tu casa, para llamar a la policía. El cuaderno de notas donde anotaste el sueño no está sobre la mesa, y comprendes que todo ha sido un sueño. Vuelves a la cama, donde no hay nadie. Suena con firmeza el dichoso sistema de climatización del hotel. Se acerca la hora en que debes asistir al acto de presentación de la novela premiada.

Después del accidente

No sientes el silencio de la noche porque dentro de ti continúan vibrando todos los sonidos del accidente, el chirrido del frenazo, el golpe contra la barrera, el retumbar del vehículo al despeñarse. Y escuchas el murmullo de la radio, una voz ininteligible, mientras la luz cada vez más débil de los faros hace brillar la escarcha en los matorrales. Hay también otros brillos y, desde el lugar que ocupa tu cuerpo, caído fuera del coche, comprendes de repente que son los reflejos de esa iluminación escasa en unos ojos. «¡Laura!», exclamas aterrorizado, incorporándote. Entonces los ves. Sobre sus uniformes reluce la fosforescencia de unos cascos que parecen enormes y extraños en la negrura. «No te preocupes por ella», dice el más alto, con voz serena, «eres tú quien debe venir con nosotros. Ella está viva.»

REBAJAS

LLEVA MUCHOS AÑOS trabajando en esos grandes almacenes, y ha ascendido ya a la jefatura de una sección. Las fechas previas a las vacaciones son para todos los empleados un tiempo agobiante, acaso el más duro del año, pues les obliga a un esfuerzo mayor de lo habitual frente a los innumerables compradores. Las ventas ordinarias rematan con las ventas de rebajas, tras una jornada agotadora en que debe cambiarse el orden de los artículos, y sus precios. Él vive los días de rebajas con una intuición de pesadilla ante esa aglomeración de gente a la que mueve un afán que parece angustioso, significativo acaso de una búsqueda que va mucho más allá del precio favorable o de la ganga. Tal sensación de mal sueño surgió en él muchos años antes, pero hace solamente dos que se hizo más intensa, con la aparición de la Vieja Pálida, una anciana flaca, vestida con una gabardina pasada de moda, las manos en los bolsillos, el rostro lleno de arrugas, desvaído y cremoso el color de sus iris, una pañoleta oscura cubriendo sus cabellos. Era inevitable verla deambular con su andar lento entre los ansiosos clientes, ajena al bullicio, como si hubiese entrado allí por casualidad. El segundo año, el primer día de rebajas, cuando volvió a aparecer la Vieja Pálida, él la recordó claramente, y su impresión de estar soñando se hizo más aguda ante el aspecto fantasmal de la anciana, que de nuevo recorría los pasillos con lentitud, entre el ajetreo y el nerviosismo de los buscadores de chollos, sin alterar su gesto severo ni su ademán hierático. En aquella ocasión ya no pudo olvidarlo, y la figura de la Vieja Pálida se convirtió en una referencia de las rebajas, una aparición que ponía una nota lúgubre en el entusiasmo consumista. Esta vez, tras abrirse las puertas de los almacenes, ha penetrado la tromba agitada de la muchedumbre, y la Vieja Pálida está de nuevo ahí, vestida con su gabardina arcaica, las manos ocultas en los bolsillos y los ojillos adolecidos de una blancura triste. Pero esta vez él se decide, venciendo su resistencia, y se acerca a la anciana. «¿Está usted buscando alguna cosa?», pregunta, y la anciana, con voz exhausta y chirriante, que parece provenir del lugar donde el tiempo no existe, responde: «Te estoy buscando a ti».

DIMISIÓN GENERAL

TRAS EL ANUNCIO de la dimisión de aquel co-
mité, que llegó a los centros de noticias durante
la madrugada, hubo como una hora de estupe-
facto silencio. Pero cuando la noche era todavía
espesa sobre el continente, comenzaron a suce-
derse sin cesar noticias de la misma naturaleza,
que provenían de todas las partes del planeta. A
esa primera dimisión siguieron la del gobierno
francés, la del alemán y la del portugués, con la
de la Reina de Inglaterra y su gabinete. El rey
Juan Carlos y el gobierno español comunicaron
su decisión de retirarse a las tres cuarenta y
ocho, y enseguida lo hicieron el presidente de los
Estados Unidos y todo su equipo gubernamental.
A eso de las cuatro de la mañana no quedaba sin
dimitir ningún responsable de los estados euro-
peos, norteamericanos y australianos. Con el
alba presentaron su renuncia los altos jerarcas
chinos, Fidel Castro y sus colaboradores inme-
diatos, Gadaffi y los demás gobernantes árabes.

El resto de los altos responsables políticos americanos, africanos y asiáticos ya se habían retirado a eso de las nueve. Los mandos militares del mundo también lo habían hecho a esas horas, y un aluvión de renuncias de responsables regionales, locales y municipales, y la de los directivos de los partidos, sindicatos y asociaciones de todo orden, ocupó las primeras horas de la mañana. A la dimisión de todos los líderes políticos y sociales del mundo sucedió la de los altos ejecutivos de las empresas y miembros de todos los consejos de administración. De los últimos en renunciar fue el Papa, con el pleno del colegio cardenalicio, y esas dimisiones provocaron la misma actitud en las demás iglesias del mundo y en sus respectivos escalones jerárquicos. Al mediodía de la mañana siguiente, se podía decir que en el mundo no quedaba ni un solo líder en funciones. Sin embargo, los mercados seguían abiertos, en los bancos se percibía la actividad habitual, los centros docentes hacían su vida normal, como los hospitales, los juzgados, las fábricas, las bibliotecas, los talleres, las librerías y las panaderías, y la gente esperaba que el tiempo mejorase y hacía planes para las próximas vacaciones. ¿Cómo se presentaba realmente el inmediato futuro? Al parecer, habían quedado interrumpidos todos los conflictos internacionales, aunque algo seguro se pudo vaticinar: la bolsa iba a sufrir una grave caída.

EL CAZADOR GENUINO

TODO ESTÁ MANIPULADO, me dice el cazador. La caza mayor aquí es una farsa. Fíjate en esos norteamericanos, en esos centroeuropeos que pagan un fortunón por cazar un ciervo en la península ibérica. Llegan en aviones de madrugada, y nada más aterrizar los meten en un coche todo terreno y los trasladan a los lugares de la caza por los vericuetos más tortuosos de la sierra. A media mañana están en el cazadero, un paraje al parecer lejano y perdido. Creen encontrarse muy lejos de cualquier punto civilizado, y matan al fin su ciervo convencidos de encontrarse en plena naturaleza silvestre, sin imaginar que, apenas a un kilómetro de aquel punto, cerca de un pueblo con discoteca, una valla cierra la enorme granja donde han sido criadas y cebadas, con pienso y voces humanas, sus preciadas piezas. Por eso a mí, mientras pueda pagarlo, no me engañan. Yo ya no cazo aquí, voy a cazar a África, que más da que no te diga el país. Viajo de noche, para estar allí bien pronto, para no perder nada de tiempo del fin de semana. Me llevan en coche todo terreno a través de la selva virgen hasta que llegamos a los lugares de caza, donde se percibe claramente que cualquier indicio de civilización humana está ya muy remoto. Al fin estamos en el punto idóneo, en el corazón de lo salvaje, y allí, bajo el implacable sol de mediodía, mientras espero la llegada de los antílopes, me siento un cazador genuino.

LA MEMORIA CONFUSA

UN VIAJERO TUVO un accidente en un país extranjero. Perdió todo su equipaje, con los documentos que podían identificarlo, y olvidó quién era. Vivió allí varios años. Una noche soñó con una ciudad y creyó recordar un número de teléfono. Al despertar, consiguió comunicarse con una mujer que se mostró asombrada, pero al cabo muy dichosa por recuperarlo. Se marchó a la ciudad y vivió con la mujer, y tuvieron hijos y nietos. Pero esta noche, tras un largo desvelo, ha recordado su verdadera ciudad y su verdadera familia, y permanece inmóvil, escuchando la respiración de la mujer que duerme a su lado.

ECOSISTEMA

EL DÍA DE MI CUMPLEAÑOS, mi sobrina me regaló un bonsai y un libro de instrucciones para cuidarlo. Coloqué el bonsai en la galería, con los demás tiestos, y conseguí que floreciese. En otoño habían surgido de entre la tierra unos diminutos insectos blancos, pero no parecía que perjudicasen al bonsai. En primavera, una mañana, a la hora de regar, vislumbré algo que revoloteaba entre las hojitas. Con paciencia y una lupa, acabé descubriendo que se trataba de un pájaro minúsculo. En poco tiempo el bonsai se llenó de pájaros, que se alimentaban de los insectos. A finales del verano, escondida entre las raíces del bonsai, encontré una mujercita desnuda. Espiándola con sigilo, supe que comía los huevos de los nidos. Ahora vivo con ella, y hemos ideado el modo de cazar a los pájaros. Al parecer, nadie en casa sabe dónde estoy. Mi sobrina, muy triste por mi ausencia, cuida mis plantas como un homenaje al desaparecido. En uno de los otros tiestos, a lo lejos, hoy me ha parecido ver la figura de un mamut.

TERAPIA

–UN PEQUEÑO HUERTO, cavar la tierra, abonarla, plantar, regar, recoger la cosecha. Esos ejercicios serían también muy beneficiosos para usted– le aconsejó el doctor mientras le entregaba el tratamiento contra el estrés. El primer año comió unos tomates deliciosos. El segundo año se pasaba las jornadas de la bolsa recordando sus tareas dominicales, las plantas de fresas, los calabacines en flor, las lombardas, según la estación. Pero un domingo de abril se quedó quieto, y luego se sentó entre los surcos. El lunes ya había arraigado. Produce pimientos en el brazo izquierdo y berenjenas en el derecho. No necesita mucho riego.

DE VACAS CUERDAS

LA GRAN PORTALADA que da a la calle estaba
abierta de par en par, la gente se descuidó, y se
escaparon las vacas del camión que las transpor-
taba al matadero. Consiguieron recuperarlas enseguida a todas, menos a dos. Esas dos debían de
ser las más listas. Hay quien puede pensar que
se limitaron a huir asustadas, sin destino ni ob-
jetivo, pero parece que sabían muy bien lo que
hacían, porque tardaron unas horas en cazarlas.
Ya que las sacrificamos para comérnoslas, nos
resulta muy fácil catalogarlas como simples animales irracionales. Rumiantes, añadimos. Que
tengan la sangre caliente no nos conmueve, ni
esas rotundas ubres cuyo signo nadie puede des-
conocer, ni tampoco sus grandes ojos soñadores.
Las dos vacas, o mejor terneras, conocían o in-
tuían su destino, y no se rebelaban, pero quisie-
ron disfrutar de un rato de libertad. Buscaron la
calle principal y quien las vio por allí, antes de
que llegasen los que de nuevo las capturaron,

cuentan que iban de escaparate en escaparate, y que de vez en cuando mugían suavemente. Yo imagino que lo que hacían era contemplar los objetos de que acaso habían oído hablar en las vagas leyendas del establo: la ropa interior con sus puntillas, los muebles de jardín, los libros en que se narran las historias verdaderas y las ficciones, las revistas ilustradas, las muñecas, los discos compactos donde se guarda la música. Las vacas pensaban sin duda en la injusticia radical del orden del universo, que nos ha dado a los primos más malévolos el dominio de todo, primos implacables, voraces, insensibles, que hemos organizado las cosas para comérnoslas a ellas. Las vacas se detuvieron ante la terraza de un bar, y la gente se levantó y se apartó, temerosa. Una de las vacas exclamó: «¡Cómo me gustaría sentarme ahí y tomar un refresco con patatas fritas!». La otra, tras un instante, suspiró y dijo: «¡Qué seres humanos tan adecuados seríamos nosotras!» Pero la gente sólo las escuchó mugir, y se asustó todavía más, sin apreciar el sentimiento de melancólica indefensión que había en su actitud. Poco después llegó la policía, y enseguida los empleados del matadero, y se llevaron con ellos a las dos jóvenes vacas, que no volvieron a decir ni mu.

MIEDO ESCÉNICO

LLEGO AL PUNTO de la cita, junto a un teatro. Mis amigos me esperan, alegres pero nerviosos. En esa ciudad extranjera y desconocida, siento que he cumplido con un importante compromiso al recordar el lugar exacto de nuestro encuentro y llegar a la hora. Mis amigos me llevan a toda prisa hasta una puertecita en la pared, y me conducen, casi en volandas, escaleras abajo. Me dejo manejar, sin pensar en nada, satisfecho, aceptando sus manoseos como caricias. Me maquillan, me ponen una peluca, me visten con ropas gruesas y pesadas. Lo acepto todo plácidamente, como un juego, porque son mis amigos y no necesito saber en qué van a parar sus esfuerzos, aunque estoy seguro de que no va a ser una sorpresa desagradable. Por fin me sacan de aquel lugar y me llevan a otro espacio oscuro, donde me dejan, antes de alejarse y desaparecer. Un largo chirrido suena en el silencio, se enciende de repente la luz y me encuentro solo en medio de un salón en el que relumbran tres paredes cargadas de espejos y cuadros. Miro hacia la cuarta pared y comprendo que estoy en un escenario, desde donde puedo vislumbrar las cabezas de los espectadores que llenan el teatro, sentir el poderoso aliento de su curiosidad, mientras esperan que comience la función con las palabras que debe pronunciar el personaje que yo interpreto, un texto y una trama que no conozco, que ni siquiera soy capaz de imaginar. Nunca he sentido tanta confusión.

Un derpertar

EL HOMBRE es conducido en carreta por las calles de París. De su pasado no recuerda otra cosa
que la sentencia que lo ha condenado a muerte y
la cárcel maloliente en que esperó la ejecución.
Hay otras gentes en la carreta y otras carretas
cargadas de gente, pero él es incapaz de identificar esos rostros inmóviles, sumidos en la desolación y la ausencia, rostros incógnitos que reflejan
su propia amnesia. La multitud asiste al paso
lento y tambaleante de las carretas, impreca a
sus ocupantes con gritos y burlas. Al final, las carretas llegan a la plaza donde se alza el patíbulo.
Las mujeres que hacen calceta, sentadas en la
primera fila de una muchedumbre expectante,
suscitan en el hombre el oscuro recuerdo de ciertas lecturas, de alguna película, pero la sensación de realidad es tan acuciante que no puede
siquiera retener esas imágenes vagas que remi-
tirían a una imaginación ajena. Los condenados
se van relevando, y la hoja de la guillotina chirría

JOSÉ MARÍA MERINO

y sisea en un contrapunto sucesivo y solemne. Es el turno del hombre. Lo acuestan boca abajo, aseguran sus miembros, colocan su cuello en el lugar del tajo. Llega el momento del siseo. La decapitación es instantánea, pero él la siente en todo su desarrollo, como si el rebanamiento implacable del pescuezo se fuese llevando a cabo con lentitud, a lo largo de mucho tiempo, y el hombre puede percibir cómo se separan las distintas capas de la piel, la envoltura de las venas, el macizo cuerpo de las vértebras. La cabeza del hombre cae en el cesto, y el hombre despierta en la oscuridad y el frío. Permanece quieto, vencido por un cansancio gigantesco, ese cansancio que debe sobrevenir como última sensación en los cuerpos recién decapitados, asustado de pensar que bajo la apariencia de una pesadilla hay una realidad más espantosa, horrorizado de imaginar que, si pudiese alzar el brazo y buscar su cabeza, ya no podría encontrarla.

DE FÁCIL ACCESO

ESTUVO TRABAJANDO quince días en Madrid, y a lo largo de sus investigaciones localizó en la Biblioteca Nacional tres asuntos que podían servirle para su tesis: una leyenda piadosa morisca, un cuento maravilloso sefardí y una historia simbólica gitana. En los tres era una mujer la protagonista, los tres hablaban de purificaciones y sacrificios propiciatorios. Regresó a los Estados Unidos, e intentaba encontrar el hilo conductor que le aclarase la verdadera naturaleza de los tres asuntos. Mágico, Memoria, Misterio, Mito, Mujer. También Multicultural. Habló de ello con la *adviser* de su tesis. Mas entre aquellas ficciones antiguas, la profesora, que era ferviente posmoderna, no veía otro hilo que la perpetuación de la violencia doméstica.

Sorpresas astrales

El fallo del motor de la nave espacial que viajaba con rumbo al asteroide Eros, pudo haber sido provocado, y se añadiría al cúmulo de irregularidades que había sufrido hasta entonces el programa de exploración de dicho asteroide. Las irregularidades han sido denunciadas por Malcom Wilson, director del observatorio de Nueva Zelanda, en un artículo publicado en el último número de la Revista Astrofísica Internacional. El artículo pone en conocimiento de la opinión pública dos noticias sensacionales: la primera, que el asteroide Eros, cuerpo estelar que se encuentra a 400 millones de kilómetros de la Tierra, y que tiene una insólita forma oblonga, de gigantesca patata, es realmente una patata, según se deduce de los exhaustivos análisis realizados por el observatorio dirigido por el doctor Wilson. Una patata con todas las características materiales y físicas del conocido tubérculo, en sus diversas proporciones de proteínas, lípidos, hidratos de carbono, calcio, magnesio, ácido fólico, ácido ascórbico y demás componentes, pero de más de cuarenta kilómetros de largo, y que gira alrededor del sol como cualquier otro astro de nuestro sistema. El descubrimiento del doctor Wilson y de su equipo supone una auténtica revolución en lo que se refiere a la composición de los cuerpos celestes y a la materia originaria del universo, pero también suscita gravísimos problemas de otra índole, en cuanto a la posible apropiación de los astros que los seres humanos exploraremos en el futuro: ¿A quién pertenecen tales astros, en el caso de que no estén habitados? El profesor Wilson propone que se resuelva con urgencia esta cuestión, y que se declaren patrimonio de la humanidad los astros a explorar, pues parece que, tras los sucesivos fallos del programa de exploración que ha fracasado una vez más, y esta sería la segunda noticia, están los manejos de cierta empresa multinacional que, conocedora mediante el espionaje de los asombrosos resultados de las investigaciones del doctor Wilson, estaría interesada en asegurarse la propiedad exclusiva del asteroide. Conviene aclarar que dicha empresa se dedica a la fabricación y venta de hamburguesas.

Un regreso

AQUEL VIAJERO regresó a su ciudad natal, veinte años después de haberla dejado, y descubrió con disgusto mucho descuido en las calles y ruina en los edificios. Pero lo que le desconcertó hasta hacerle sentir una intuición temerosa, fue que habían desaparecido los antiguos monumentos que la caracterizaban. No dijo nada hasta que todos estuvieron reunidos a su alrededor, en el almuerzo de bienvenida. A los postres, el viajero preguntó qué había sucedido con la Catedral, con la Colegiata, con el Convento. Entonces todos guardaron silencio y le miraron con el gesto de quienes no comprenden. Y él supo que no había regresado a su ciudad, que ya nunca podría regresar.

EL AGENTE SECRETO

PRIMERO FUE UN RUMOR ronco e ininteligible, en llamadas de teléfono que se repetían una y otra vez. Luego, unos signos indescifrables e insistentes en la pantalla del ordenador, que aparecían siempre que lo ponía en marcha. Un día, el mensaje se fue haciendo comprensible y pude leer, en un texto sin fin: *debes regresar, tu misión ha terminado*. Ahora sé que me esperan. Están ahí fuera, al acecho, para llevarme con ellos. Pero yo he olvidado de qué misión me hablan. Yo quiero seguir aquí, entre los humanos, con mi familia mortal.

Reunión conmemorativa

El viajero dejó la estación y, al cruzar el puente, se encontró con dos antiguos condiscípulos, abrigados en sus gabardinas. Inmóviles, ambos contemplaban el río. Les llamó y se volvieron con lentitud.

–¿No me reconocéis? ¿Tanto he cambiado?

Ellos sonrieron, pero no decían nada.

–¿Qué fue de los demás? ¿Qué fue de don Augusto?

Encogieron los hombros. Se separó de ellos y cruzó las calles solitarias hasta llegar al Instituto, que estaba vacío y silencioso. Encontró a don Augusto entre los polvorientos archivadores.

–Al fin has llegado –dijo don Augusto, suspirando–. Eras el único que faltaba. Ahora sí que todo ha terminado.

CIEN

AL DESPERTAR, Augusto Monterroso se había convertido en un dinosaurio. «Te noto mala cara», le dijo Gregorio Samsa, que también estaba en la cocina.

II. De *Cuentos del libro de la noche*

Página Primera

Para intentar descubrirlos debo despertarme en medio de la noche. Me levanto, recorro despacio el pasillo. Nunca enciendo las lámparas, llevo en la mano una linterna pequeña. Su resplandor escaso, subrepticio, me ayuda a encontrarlos, a veces. Con el tiempo he comprendido que viven en lo oscuro como nosotros en la luz. Una noche vislumbré la figura de un hombre sentado al fondo del salón, leyendo el periódico. Otra vez la linterna me permitió atisbar el cuerpo huidizo de una mujer en el recibidor. Otra noche, al pasar ante mi cuarto de trabajo, me pareció que había un bulto sentado delante del ordenador. El tiempo pasa y ya no puedo recordar si alguno de esos habitantes de la casa en la noche ha escrito en mi ordenador los textos que ahora considero míos.

Divorcio

La mañana del día en que cumplí los cincuenta años, en el momento de afeitarme, enfrentado con mi imagen en el espejo, se me ocurrió decir *feliz cumpleaños,* y mi imagen me respondió *vete a la mierda, imbécil, déjame en paz de una vez.* Se comprenderá bien mi estupefacción, mientras mi reflejo continuaba manifestando, con nuevos insultos, una aversión incubada al parecer a lo largo de todos nuestros años de convivencia. Pensé que había sido solo un incidente soñado, pero a partir de aquel día, al mirarme en el espejo, mi imagen no dejó de mostrarme su desagrado y su rechazo. Aquella desavenencia absurda, fantástica, que ni siquiera podía contarse, me mortificaba tanto que decidí tapar el espejo con una toalla y prescindir de él, lo que no es difícil para quien se peina sin raya, se afeita con maquinilla eléctrica y deja siempre hecho el nudo de la corbata. No obstante, a veces levantaba un pico de la toalla para saber si el fenómeno había cesado, pero en cuanto mis ojos y los suyos se encontraban, mi reflejo repetía sus invectivas y malas palabras contra mí. Han transcurrido diez años en los que he dejado de contemplar mi imagen en este espejo y he procurado no poner los ojos en ninguna superficie capaz de reflejarla. Hoy, al cumplir los sesenta, he querido saber si subsistía la aberrante repulsa, pero cuando el espejo ha quedado libre de su cobertura, he podido comprobar que no refleja otra cosa que un cuarto de baño vacío. Parece que mi imagen me ha abandonado para siempre y, en lugar de entristecerme, me ha invadido una sensación gustosa de alivio.

EL DESPISTADO (UNO)

EL AVIÓN HA ATERRIZADO, han parado los motores, ya se apagó la señal que obligaba a usar el
cinturón. Sin embargo, nadie se levanta. No comprendo cómo los demás no tienen ganas de aban-
donar este sitio después de haber experimentado
el horroroso vuelo, los ruidos extraños, la explo-
sión, el humo espeso, el terrible zarandeo. Me levanto yo, abro el maletero, saco mi cartera, mi
abrigo. Acabo de descubrir que todos me están
mirando. De repente me señalan y se echan a
reír con una carcajada extraña, una carcajada que
parece llena de dolor, y aquí estoy yo con la cartera en una mano y el abrigo en la otra, sin ente-
rarme de lo que sucede.

ANDRÓMEDA

SE DESPIERTA con esa sensación de cansancio que produce arrancarse de un sueño demasiado profundo y enciende la luz de la mesita. De espaldas a ella, su marido permanece inmóvil, sin duda dormido. Arrastra su mirada perezosa por el techo de la habitación y luego por la pared frontera, hasta encontrar el espejo salpicado de manchas de vejez, un gran objeto que ha llegado hasta ella por la inercia familiar. En el ángulo superior derecho encuentra una gran mancha nueva, y mueve la cabeza para percibirla mejor. Descubre entonces que no es una mancha, sino un reflejo, y un mayor desplazamiento de la cabeza le permite identificar lo que parece un fragmento de voluta amarillenta, acaso metálica. Con lo que todavía es más sorpresa que inquietud, lleva la vista al punto reflejado y comprueba que allí la pared sigue lisa y exenta de adornos. Ahora ya la sorpresa se ha convertido en alarma. Se levanta, se acerca al espejo. El reflejo presenta una pared cubierta por un gran bajorrelieve de formas abigarradas y confusas sobre una cama con ropas de color negro donde se mantiene el bulto de su marido. Acerca más el rostro al espejo y, en lugar de encontrar sus propias facciones aparece una faz ajena, de ojos despavoridos. *¿Cómo has madrugado tanto?*, pregunta su marido, con voz extrañamente silbante, y ella mira a través del espejo aquella gran figura escamosa que acaba de alzarse en la cama, aquella enorme cabeza de reptil.

SIMETRÍA BILATERAL

LA RECONSTRUCCIÓN, animada por imágenes, de los primeros cordados, aquellos antecesores nuestros millones de siglos lejanos en el pasado, le sobresaltó con la certeza de descubrir algo que siempre había sospechado. *Eso somos, escribió, un espinazo, un espinazo que ha tenido que ir desarrollando miembros que le fuesen ayudando a moverse, a agarrar, a alimentarse, a percibir con mayor claridad. Un espinazo que acabó creando a cada lado, como prótesis funcionales, un ser con un ojo, un oído, un pulmón, un riñón, un brazo, una pierna, un ovario, un testículo... El espinazo pretende conjuntar ambos seres, pero uno de los ojos suele ver mejor que el otro, un oído tener mayor agudeza, la mano derecha o la izquierda conseguir destrezas que la otra no tiene. Soy doble, dos seres unidos por ese espinazo que intenta de continuo conciliarlos, pero soy dos, que pueden entrar en pugna, que acaso están siempre en una pugna sorda.* A lo largo de los años, continuó poniendo por escrito sus experiencias, su conciencia de espinazo obligado a la permanente coordinación de sus contrapuestas prótesis carnales. En el cuaderno están también registrados los primeros datos del enfrentamiento, la mano izquierda que no quería permitir que la derecha escribiese, el estrabismo que a menudo desenfocaba su visión, las piernas dispuestas a marchar cada una en dirección diferente. Nunca pidió ayuda, y la policía tardó mucho tiempo en descubrir, a través de aquellos cuadernos, que su muerte brutal en la gran serrería, el cuerpo separado longitudinalmente en dos mitades iguales, había sido efecto de su propia voluntad.

LAS DOCE

A LAS DOCE, hora de límites, el tiempo separa cada jornada con su peligrosa cuchillada. Es la hora en que, a veces, se reúnen. Hablan en voz muy baja, con murmullos tenues, pero desde la cama, forzando mi atención, puedo advertir esos cuchicheos, sus risas, el tintineo de los vasos. Varias noches me he levantado con sigilo para intentar sorprenderlos. Camino a tientas por el pasillo, abro despacio las puertas, enciendo de repente la luz del salón. Ya no están, nunca están cuando llego. ¿Que si dejan rastros? Una vez, mi gato tenía en el cuello un lazo verde. Otra, había un clavel sobre la mesa. Ayer, una postal de un templo hindú cuyo destinatario no soy yo, con una letra poco inteligible que, al parecer, habla de calor y recomienda no olvidarse de los peces.

MONOVOLUMEN

EL MECÁNICO, una persona formal, le aseguró que el coche era una ganga, porque tenía pocos kilómetros y estaba muy bien cuidado. Era demasiado grande para una viuda sola, aquella mujer triste cuyo marido había desaparecido, y ella quería quitárselo de encima cuanto antes. Después de comprarlo comprendió que había acertado: el coche era confortable, potente, brioso, capaz de recorrer los peores caminos, y apenas consumía combustible. Pasaron los meses y un domingo, por entretener el inicio de la tarde, se dispuso a echar una mirada al motor. Desde la ventana de casa, su mujer le vio levantar el capó y cómo se inclinaba hasta quedar oculto. Un par de horas más tarde, a la mujer le extrañó que su marido no hubiese terminado todavía. El capó, medio alzado, no le permitía ver su cuerpo. Abrió la ventana para llamarle, pero él no contestaba. Salió por fin a buscarlo. Las piernas sobresalían del capó, pero el resto del cuerpo había sido ya devorado por el feroz monovolumen.

BEST-SELLERS

HIZO DE LOS PERDEDORES protagonistas de sus novelas y consiguió un éxito extraordinario y muy alta valoración crítica. *El triunfo está enamorado de las flores del fracaso,* decía, parafraseando un verso célebre, para contrarrestar ciertas ironías. El periódico más importante del país le encargó un reportaje sobre las gentes sin hogar. Seguro de su lucimiento, vestido con las ropas apropiadas a la aventura, se sumergió entre los mendigos de los puentes, de los parques, de los pasos subterráneos. Pasaron los días, los meses, se perdió su pista, nadie encontró su paradero. Entre tanto harapiento barbudo ¿quién podría reconocer al famoso escritor? La historia es narrada por un joven autor en un libro que, tras conseguir el premio editorial de mayor cuantía, se ha convertido en un *best-seller.*

LA VUELTA A CASA

EL DIRECTOR SUELE llevar a los visitantes dis-
tinguidos al pabellón de los condenados a cadena
perpetua, para que escuchen a este hombre contar la historia de su crimen: *Mucho tiempo lejos*
de casa, primero en la otra punta del planeta,
días y días de reuniones para intentar entrar en
la dichosa fusión, y cuando conseguimos eliminar
las resistencias y vencer a nuestros adversarios
tuve que recorrer una por una las sucursales, las
filiales, las empresas asociadas, evitando todas
las asechanzas, unos querían hechizarme con
malas mañas, otros pretendían que me quedase,
zafándome de los cantos seductores, de quienes
me devorarían si pudiesen de los que quisieran
destruirme. Yo estaba a punto de explotar. Llego
por fin a casa, de improviso, y me encuentro con
que mi mujer ha organizado una fiesta. Al pare-
cer, llevaba montando estas juergas casi desde
que me fui, mi casa llena de gorrones bebiéndose
mis vinos, comiéndose mis cecinas y mis quesos.

JOSÉ MARÍA MERINO

Y mi mujer me dice, tan tranquila, que mi hijo se ha marchado por ahí, no sabe a dónde. Subo a mi estudio y me encuentro con que han instalado allí una especie de telar enorme, todo está revuelto, hilos, varillas de madera, tijeras. Exploté, agarré un par de escopetas, una pistola, bajé a la sala y empecé a disparar, estaba tan ciego de ira que también me la llevé a ella por delante. El director no se cansa de escuchar este relato, *menuda odisea*, exclama una vez más, mientras se aleja por el corredor con los visitantes.

EXTRAVÍO

EL EXPRESO Madrid-París ha aparecido esta madrugada en un pequeño apeadero extremeño, muy lejos de su ruta. Todo el convoy está vacío, desde la cabina de la máquina hasta la última litera, y se desconoce el paradero de las más de doscientas personas que viajaban en él. Tampoco se han encontrado sus equipajes. En los cristales de puertas y ventanas, en los espejos de los lavabos, en la superficie de las mesitas, en la moqueta del suelo, con lápiz labial, con bolígrafo, con rotulador, con chocolate, muchas manos, ancianas, maduras, infantiles, han escrito la palabra Aldebarán.

Mosca

LA MOSCA *revolotea* sin demasiada vitalidad en el cuarto de baño. La miro con asco. ¿Qué hace este bicho en un hotel de lujo, y además en febrero? La golpeo con una toalla y cae exánime sobre el mármol del lavabo. Es una mosca rara, arrubiada, no muy grande. Se me ocurre que es el último ejemplar de una especie que desaparecerá con ella. Se me ocurre que tenía en el cuarto de baño su refugio invernal. Que en el jardín que se extiende bajo mi ventana hay alguna planta también muy rara, que solo podía ser polinizada por esta mosca. Y que de la polinización y multiplicación de esa planta va a depender, dentro de unos milenios, la existencia del oxígeno suficiente como para que nuestra propia especie sobreviva. ¿Qué he hecho? Al matar a esa mosca os he condenado también a vosotros, descendientes humanos. Pero la mosca mueve sus patitas en un leve temblor. ¡Parece que no ha muerto! Ya las agita con más fuerza, ya consigue ponerse en pie, ya se las frota, ya se alisa las alitas para disponerse a volar otra vez, ya revolotea en el cuarto de baño. ¡Vivid, respirad, humanos del futuro! Mas ese vuelo torpe me devuelve la inicial imagen repugnante. Salgo de mi pasmo. ¿Qué hace aquí este bicho asqueroso? Cojo la toalla, la persigo, la golpeo, la mato. La remato.

La una

ME DESPIERTO con la sensación un poco axfisiante de emerger con brusquedad de un abismo. Sin duda estaba muy dormido. Rugen motores lejanos en la noche de la ciudad. Miro la hora: es la una, y me sorprende el poco tiempo que ha pasado desde que me dormí, como si lo profundo del sueño debiera tener correspondencia con su duración. Vuelvo a quedarme dormido pensando en ello, y caigo otra vez al fondo de la sima oscura, y también me despierto de repente. Miro la hora: es la una, y el reloj no se ha parado, pues gira la aguja del segundero y oigo sonar su pequeño corazón mecánico. Confuso, intento asumir la brevedad de ese sueño tan denso y me quedo dormido de nuevo, me hundo otra vez en la profundidad blanda y ciega, hasta que vuelve a producirse el brusco despertar. El reloj, que no se ha parado, sigue marcando la una. Me siento muy inquieto, creo que voy a desvelarme, pero el sueño me precipita, una vez más, en su negrura sin contornos.

Y cuando me despierto de pronto, escucho los motores lejanos que rugen en la noche de la ciudad, pero no quiero mirar ese reloj que, tan cerca, sigue latiendo incansable.

EL DESPISTADO (DOS)

LA CIUDAD, CON ESA LIVIDEZ de los lugares sombríos y helados, refleja el color gris oscuro del cielo. El frío se remansa en este hotel donde predomina el mármol. Atardecía, salí a dar un paseo por esas calles desconocidas, y tuve los encuentros que tanto me han conmovido. Primero, el hombre de pelo y bigote blancos, con gabardina de corte arcaico, que ascendía por la rampa de un garaje. Era igual que el pobre Efrén, podía ser el mismo Efrén, estuve a punto de exclamar *¡Efrén!*, si no hubiese acompañado su sepelio hace apenas un mes. Luego, junto a un parque, la figura de una vieja sentada, inmóvil, hizo que me estremeciese otra vez, pues en su actitud, en la manera de cruzar sus manos, ofrecía la estampa de mi tía Lola, y cuando estuve junto a ella su rostro me presentó la imagen exacta de la fallecida. Este segundo encuentro me desazonó mucho, pero todavía debía cruzarme con un hombre calvo, de grandes gafas, pajarita, andares lentos, que me devolvió la figura y el rostro del difunto Melquíades. Regresé a este hotel decorado con austeridad que parece inhumana. No he querido cenar y escribo estas notas en mi diario mientras la oscuridad iguala ya cielo y tierra y las luces de los edificios tienen un aire mortecino, a la medida de mi melancolía.

La hormiga en el asfalto

Agosto, *cuatro de la tarde*. Casi cuarenta grados de temperatura. Una calle en obras, una profunda zanja lateral. La gran grúa mueve tierra y cascotes. En la soledad deslumbradora, un hombre espera el autobús. Se ha colocado un pañuelo sobre la cabeza, está inmóvil y siente brotar el sudor de toda su piel. Muy cerca se alza el pequeño surtidor de una cañería rota. El hombre descubre en la calzada un insecto minúsculo, acaso una hormiga solitaria, que avanza en línea recta. El chorro de agua golpea contra un montón de arena y hace saltar piedrecitas que caen cada vez más cerca de la hormiga. El hombre piensa que aquel insecto avanza ciego hacia el punto en que una de las piedrecitas lo aplastará. En el silencio solo se oye el ruido del pequeño surtidor fortuito, a sus pies, y el chirrido del contenedor de material que se bambolea en lo alto, justo encima de su cabeza.

USTED NO SABE CON QUIÉN ESTÁ HABLANDO

CLARO QUE LO SÉ. Le he seguido muchas veces. Sé dónde vive, a qué horas lo recoge su conductor, qué restaurantes frecuenta, dónde se reúne, a espaldas de sus socios, con los que quieren apoderarse de la empresa. Como sé que muchas noches recorre este callejón a escondidas, para encontrarse con su amante. Ahora en este lugar oscuro, cuando me he acercado y le he interpelado con voz segura y burlona, ha manifestado su miedo con esa frase manida y prepotente. Claro que sé con quién estoy hablando: estoy hablando con el hombre al que voy a matar.

LEYENDA

EN AQUEL TIEMPO el dragón tenía forma, cuerpo escamoso, grandes alas, garras poderosas, fauces de infinitos colmillos por las que arrojaba fuego. Contra lo que se cuenta, ninguno de los caballeros predestinados para abatirlo lo consiguió, y todos cayeron intentándolo. Aquel dragón murió de viejo. Se han sucedido los dragones cada vez más informes, menos reconocibles en su aspecto externo y muchos caballeros han muerto luchando contra ellos, pero todos los dragones mueren de viejos. Sin embargo, las estrellas siguen marcando el nacimiento de aquellos que nacen con el destino de matar al dragón. Tú eres uno de ellos.

Cuento de primavera

—La oficina tiene una terraza interior que está clausurada con una reja, porque no se utiliza. A los operarios que trabajan estos días en uno de los pisos superiores se les ha caído una herramienta en esa terraza. Después de buscar durante mucho tiempo la llave se consigue abrir la reja. El hombre que ha bajado a recoger la herramienta descubre desde allí la insólita trasera de los enormes edificios que rodean la zona, las innumerables cristaleras que brillan al sol, en fuerte contraste con la penumbra que envuelve el patio. Luego mira al suelo. Está lleno de suciedad, polvo, colillas, hojas de periódico, plásticos, latas de bebida vacías, el cepillo carcomido de un escobón. En el sumidero ha crecido una plantita. El hombre, antes de recoger la herramienta, se acerca a la plantita, la arranca y la arroja al vacío.

—El cuento no termina así. La verdad es que el hombre, al descubrir la plantita, la quita de su sitio con mucho cuidado, procurando que la raíz conserve la mayor cantidad de tierra posible, la envuelve en uno de los trozos de plástico y se la lleva a su casa, donde la transplanta a un tiesto. Y la plantita crece muy lozana.

–¿En qué quedamos?

MADRUGADA

CERRABAN YA LAS PUERTAS cuando entró en la estación, pero pudo coger el último metro. Lo esperaba un largo trayecto hasta su destino, el final de la línea, y se sentó, dejó vagar su mirada por el vagón vacío, contempló los tubos de neón que guardaban las rejillas, los esquemas gráficos de las líneas, el suelo de goma donde apenas quedaban huellas de la jornada. Sentía sueño. Medio escondido por un asiento, cercano al quicio de una puerta, asomando de la rendija que separaba la pared del suelo, llamó su atención un pequeño objeto alargado, ligeramente curvo, compuesto de varios fragmentos sucesivos de diferente grosor, con un remate picudo, que parecía una pata de marisco. La forma era tan absurda en aquel lugar que se levantó para observarla de cerca, y comprobó que, incrustada por su parte más gruesa, de aquella rendija salía lo que parecía exactamente una pata de cangrejo, o de nécora. La pisó para arrastrarla hasta él, pero el contacto de su pie produjo en el pequeño objeto el resultado contrario y se introdujo más en la rendija. El efecto visual del desplazamiento tuvo apariencia de verdadera retracción, como si aquella cosa en forma de pata de cangrejo se hubiese movido por sí misma. Estaba muy cansado, tras un día de mucho trabajo, y el movimiento del objeto le sobresaltó en aquel lugar trepidante y vacío. Su mirada volvió a recorrer el vagón y encontró de repente, a través de las ventanas, la soledad del vagón contiguo, donde había también un solo viajero. Se acercó más al cristal. Aquel viajero, un hombre andrajoso, greñudo, de barbas descuidadas y manos sucias, dormía. Iba a sentarse otra vez, cuando advirtió en el suelo del vagón vecino algo al principio apenas perceptible, cuerpos del tamaño de manos pequeñas, con patas como la que a él le había parecido encontrar. En unos instantes, aquellas formas, similares a cangrejos oscuros, llegaron hasta el hombre dormido y empezaron a trepar por sus piernas, a cubrir su torso, alcanzaron sus manos, sus barbas. El hombre dormido abrió los ojos y encontró su mirada. Él se apartó, volvió la espalda. De la rendija inferior de la pared de su vagón asomaban infinidad de patas de cangrejo. Procurando no perder del todo los nervios, se preguntó si serviría de algo hacer sonar la alarma.

Cuerpo rebelde

A PARTIR DE LA OPERACIÓN, el cuerpo me ha desobedecido en muchas ocasiones. Se niega a levantarse, a sentarse. Se niega a entrar o a salir. Me fuerza muchas tardes a permanecer en casa, inmóvil como un mueble más. Los trámites de la testamentaría –las últimas enfermedades suelen empezar al tiempo que las primeras herencias–, me han obligado a hacer este viaje, y me sorprendió comprobar la facilidad con que mi cuerpo se dispuso a ello. Anoche, tras llegar a la vieja casa impregnada de recuerdos de niñez y adolescencia que incrementaban mi desazón, advertí el primer signo rebelde: en un momento de la madrugada me sentí en una posición incómoda que no me dejaba respirar bien e intenté moverme, pero el cuerpo no me respondía. Como estaba dormido, comprendí que era preciso despertar para cambiar de postura, pero mi cuerpo no quería despertarse, y sólo después de un largo forcejeo en el umbral que comunica sueño y vigilia conseguí vencer su resistencia. Otro signo de rebelión se produjo esta misma tarde, después de comer, cuando me disponía a pasear por el bosque. Mi cuerpo no me obedeció y tuve que cambiar de rumbo y encaminarme a los acantilados. Ahora estoy sentado en el borde del prado húmedo, sobre el mar que ruge. En el oscuro roquedal, treinta metros más abajo, se desparrama violenta la espuma de las olas. Hace mucho frío y he intentado regresar a casa, pero mi cuerpo se rebela una vez más, se acerca al borde del precipicio, levanta los brazos. Asumo lo que va a suceder con horrible resignación.

Ojos

TODA LA GENTE en la calle estaba igual, con esos ojos monstruosos que le dan un aspecto tan repelente, pero decidí no perder la tranquilidad, disimulé mi desasosiego, y he seguido disimulándolo a lo largo de la mañana, con todo el mundo en la oficina mostrando esos ojos horrendos. Volví a comer a casa. Me senté a la mesa, y descubrí que la sopera estaba también llena de grandes ojos. Mi mujer me llenó el plato e, imperturbable, me llevé la primera cucharada a la boca. Saben a sopa de fideos. Mientras transcurre la comida, observo los ojos enormes y saltones de mi familia, pienso en los míos, en los de toda la gente, en esa sopa de aspecto repugnante, y mantengo con firmeza mi propósito de no alarmarme.

EL EFECTO ICEBERG (ENSAYO)

EN EL ÚLTIMO SEGUNDO, el enorme trasatlántico consiguió esquivar el iceberg y todos los pasajeros llegaron a su destino. El estudio, profundo y meticuloso, analiza el papel que jugó cada uno de ellos en la sociedad a partir de su llegada, en los distintos aspectos y en relación con sus diferentes oficios y profesiones. La tesis del apasionante ensayo es que la actividad personal y social de aquel conjunto de personas ha sido decisiva para que los Estados Unidos, y en consecuencia el mundo entero, hayan llegado a atravesar el período de paz, solidaridad y equilibrio en todos los órdenes que estamos viviendo más de noventa años después. Los autores aseguran que si el *Titanic* se hubiera hundido aquella noche, la actualidad sería menos apacible y placentera.

METAMORFOSIS

TAMBIÉN SOBRE MÍ PESA una maldición ancestral. Tercer hijo varón de un verdugo, nací el último día de febrero de un año bisiesto. Así, cada noche de luna nueva sufro la terrible transformación. Mi cuerpo se cubre de pelo, en mi cabeza se afilan las orejas, mis mandíbulas se alargan en forma de hocico para proyectar mejor mi dentadura, de mi cóccix surge un rabo largo. Al mismo tiempo, mi tamaño se modifica en longitud y volumen, y paso a tener una envergadura muy diferente de la habitual. Una vez transformado, surge en mí la pasión de las fechorías, una febril actividad de destrucción. Mi horror natural al derramamiento de sangre me impide cometer los atroces atropellos que han hecho famosos a otros colegas, como el hombre lobo. Tal vez por eso a mí no me conoce casi nadie, pero tampoco casi nadie sabe que se puede acabar conmigo con una ratonera de plata.

JOSÉ MARÍA MERINO

VIRUS

HOY VOY A HABLARLES DE VIRUS, decía por ejemplo el profesor, y todos sus discípulos lo escuchaban con arrobo, pendientes de sus palabras, porque sus lecciones les abrían siempre perspectivas inesperadas y sorprendentes. Virus, entidades biológicas emergentes en un medio vivo que van invadiendo para destruirlo mientras forman parte de él, implacables, invisibles, capaces de atravesar todos los filtros, pero ciegos, ignorantes al cabo de que producen la destrucción de lo que invaden. *Les estoy hablando de virus, de la especie humana, decía de pronto, el profesor, por ejemplo del* homo sapiens sapiens, *emergente en un medio con el que durante un tiempo larguísimo los antecesores de su especie matriz han sobrevivido dentro del equilibrio que marcan las reglas de la naturaleza, y de pronto invasor, agresor, formando parte del medio en que vive para irlo aniquilando mediante la sobrexplotación de los recursos, la contaminación hídrica y atmosférica, la alteración de todas las armonías. Una especie inteligente. ¿Son también inteligentes nuestros propios virus, el de esa gripe que está causando consternación entre nosotros, que colapsa los hospitales y desborda las consultas de los facultativos? ¿Son capaces de utilizar tecnología? ¿Han considerado ustedes las formas perfectas y la exacta mecánica del bacteriófago?* Fue aquel mismo invierno cuando el profesor atrapó el enfriamiento que se lo llevaría por fin a la tumba, tras una serie de complicaciones fatales para su endeble salud. Su muerte interrumpió su personalísima investigación, y todos los virus siguieron proliferando en aquel planeta sin que ya nadie volviese a sospechar su verdadera naturaleza.

El castillo secreto

El castillo se alza en esta misma comarca, pero no es visible en la vigilia. Para llegar a él hay que encontrar un camino que a veces se presenta durante el sueño, abriéndose delante de nosotros conforme avanzamos paso a paso. El castillo no parece muy grande, pero tras el amplio vestíbulo hay muchos pasillos, en varios pisos, con innumerables puertas idénticas que dan entrada a las habitaciones. Yo conozco la habitación sin límites, donde se cae sin cesar, y la que da acceso a una escalera de caracol que nunca concluye. Conozco también la habitación de los susurros que no se pueden entender, la de las grandes sombras con formas monstruosas, la del reloj que marca cada segundo con una gruesa gota de sangre que salpica las paredes. Y está la habitación del mar de peces muertos, y la de los pájaros ciegos que revolotean sin rumbo. Yo conozco la habitación de las dunas, sembradas de esqueletos de exploradores perdidos, y la de las ciénagas, donde flotan ropas, sombreros, mapas. Ese castillo es peligroso, porque para salir de él es necesario despertar, y muchos no lo consiguen, aunque cada día los veas a tu lado y ellos y tú creáis que están despiertos.

PIE

DE SOLTERO HA PASADO a solterón y está bien
acostumbrado a dormir solo. Una noche lo despierta la sensación de un contacto insólito, uno
de sus pies ha tropezado con la piel cálida y suave de un pie que no es suyo. Mantiene su pie pe-
gado al otro y extiende su brazo con cuidado para buscar el cuerpo que debe de yacer al lado,
pero no lo encuentra. Enciende la luz, separa las
ropas de la cama, allí dentro no hay nada. Ima-
gina que ha soñado, pero pocos días después
vuelve a despertarse al sentir de nuevo aquel
tacto de suavidad y calor ajeno, y hasta la forma
de una planta que se apoya en su empeine. Esta
vez permanece quieto, aceptando el contacto como una caricia, antes de volver a quedarse dormido. A partir de entonces, el pequeño pie viene
a buscar el suyo noche tras noche. Durante el
día, los compañeros, los amigos, lo encuentran
más animoso, jovial, cambiado. Él espera la llegada de la noche para encontrar en la oscuridad

el tacto de aquel pie en el suyo, con la impaciencia de un joven enamorado antes de su cita.

El dulce olvido

Le dijeron que lo tendría a partir de las nueve de aquella mañana. El tráfico era muy denso y corría el riesgo de perder el tren, pero no quería salir de viaje sin recogerlo. Pidió al taxista que lo llevase allí, que esperase unos instantes, subió, se lo dieron. Estaba ya tan apurado por el poco tiempo que faltaba para la salida del tren, que no quiso leerlo hasta que, instalado por fin en su asiento, sintió que el convoy empezaba a moverse. Abrió entonces el sobre, se enfrentó con el breve texto y no supo si se sorprendía o si corroboraba una seguridad secreta. Luego pensó que aquellas palabras formaban una especie de conjuro maléfico. Lo esperaban a su llegada y no dejó traslucir su conmoción, pero dio la conferencia sin enterarse, en el automatismo de la costumbre, mientras el texto breve y categórico que había leído en el tren seguía encendido en su mente. Después de su intervención había un pequeño concierto que clausuraba los actos de la jornada: dos jóvenes, un pianista y una arpista, unos metros delante de él, iban a interpretar varias piezas. Se dispuso a un paréntesis de aburrimiento que le ayudaría a continuar disimulando su estado de ánimo. Los jóvenes comenzaron a tocar y poco a poco fue reclamado por aquella corriente poderosa en la que los sonidos se entrelazaban al hilo del tiempo. También la música era un conjuro, pero benéfico, y se dejó llevar por su cercanía, se fue sumergiendo en ella hasta sentir que su desasosiego era sustituido por una sugestión de apacibilidad. Todos los compositores de aquella música habían muerto ya, pero su invención seguía fluyendo impregnada de vida y hasta de un júbilo sereno. La música se derramaba ante él llena de fuerza y verdad, bañaba todo su cuerpo como un agua salutífera. Cuando el breve concierto concluyó, comprendió que había empezado a reconciliarse con lo que anunciaba el papel fatídico guardado en su bolsillo.

Poca luz

YO ERA EL PRECEPTOR de los hijos del conde. En las enormes estancias del castillo había muy poca luz, y aquella penumbra facilitó algunos acercamientos amorosos. A la poca luz fui seducido por la condesa y la poca luz me permitió seducir a su hija. Aquella penumbra hizo que, cuando el conde quiso vengar su honor, me confundiese primero con el jardinero, al que atravesó de una estocada, y luego con el mayordomo, a quien mató de un pistoletazo. Por culpa de la poca luz, me rompí la nuca en las escaleras de la bodega, mientras el iracundo conde me perseguía. Ahora soy el fantasma que recorre estas almenas solitarias y estos salones oscuros, húmedos y vacíos, bajo los techos que se desmoronan.

LOS DÍAS ROBADOS

La víspera de mi primera excursión escolar, el nerviosismo me quitó el sueño. Iba a visitar el aeródromo, a seis kilómetros de la ciudad. Viajaría en un autobús llamado «la saeta azul» y almorzaría en el campo el filete empanado y el huevo duro que mi madre había cocinado para mí. Recuerdo con claridad las evocaciones de aquella excursión en la boca de los demás niños: las grandes hélices, los motores rugientes, el piloto con su gorro y su chaqueta de cuero, los refrescos de la merienda. Sin embargo, ni una sola imagen del día había quedado en mi memoria, como si yo no lo hubiese vivido junto a los demás. Años más tarde, ya adolescente, otra excursión colegial me llevó a Santiago de Compostela. También la memoria ajena serviría de referencia para los incidentes del viaje, las noches de pensión, los primeros cigarrillos, el balanceo del botafumeiro, pues en mí no quedaba ni un solo recuerdo de aquellos días. Mi mujer rememoraba

JOSÉ MARÍA MERINO

nuestro viaje de novios, otros viajes, la dulzura del mar en las islas, el verdor de los pinos, recordaba dulces atardeceres de verano, paseos entre la nieve, un pájaro que se posó sobre mi hombro en la isla de Taquile, pero su ternura no conseguía despertar en mí ni una sola imagen de aquellos recuerdos. Al parecer, todas las jornadas gustosas, plácidas, estimulantes, que he compartido con los demás no son sino una opacidad sin luces ni ecos. Mis hijos, mis nietos, me llevan ahora a conocer la esfinge, las pirámides. Contemplo el territorio de las nubes que el avión sobrevuela y arriba el cielo azul, el sol. Sé que también estos días se perderán para mí, me pregunto quién es el que ha vivido, el que vive en mi lugar las jornadas felices de mi vida.

Huellas

AQUELLA PAPELERA volcada. La pintada en el muro, como una indescifrable maldición. Varias colillas en la tierra, alrededor del árbol. Un periódico doblado sobre un banco. Una pelota pequeña flotando en el estanque. La marca del carmín en el borde de la taza. Un calcetín de niño colgando de la verja. Un escupitajo sanguinolento. La cicatriz del frenazo en el asfalto. Humedad en la almohada. Este relato.

TELÚRICA

PROCEDEN DEL MAR, con su cuerpo alargado y sus grandes ojos, con su pico y sus extremidades tentaculares, de esas profundidades silenciosas y espesas como los sueños del origen. Los pelarás con cuidado, los limpiarás de sus entrañas y de su piel, de su espinazo cristalino, apartarás el saquito de la tinta. En una cazuela, tierras terrosas y onduladas de Pereruela, con aceite de los olivares del sur, que trazan sobre tierras también onduladas un poema de sabiduría y naturaleza, pocharás la cebolla picada, los brotecitos verdes asomando entre la tierra negra del huerto de tu abuelo, sofreirás el tomate, las planicies del campo de Níjar con sus grandes armazones cubiertos de plástico. Mientras tanto, en un mortero de madera, chopos dorados de la ribera del Esla, majarás ajo, pensarás en Chinchón y su plaza de hermosa asimetría, pero seguramente son chinos, los secanos del Gran Oeste, los barcos orinientos que trajeron a Europa las simientes por las viejas rutas costeras, con sal gorda, salinas de Torrevieja, grumos blanquecinos que marcan el esplendor del verano entre las rocas de Formentera, y esas bolsitas negras que guardan la tinta densísima. Al sofrito añadirás el calamar troceado, el majado con un poco de agua, una hoja de laurel, los caminos bordeados de laureles y saúcos junto a los ríos de la infancia, y que el calor lento, fuego de gas argelino, de placa eléctrica con la energía de esos embalses que cubrieron acaso los pueblos montañeses, se guisen sin prisa, el tiempo para dar cuerpo y sabor a la salsa, dos horas al menos, un plazo insignificante para el planeta, solo un leve movimiento de rotación y de traslación en el inescrutable camino de los astros.

LA CUARTA SALIDA

EL PROFESOR SOUTO, gracias a ciertos documentos procedentes del alcaná de Toledo, acaba de descubrir que el último capítulo de la Segunda Parte de *El Quijote* –«De cómo don Quijote cayó malo, y del testamento que hizo y su muerte»– es una interpolación con la que un clérigo, por darle ejemplaridad a la novela, sustituyó buena parte del texto primitivo y su verdadero final. Pues hubo una cuarta salida del ingenioso hidalgo y caballero, en ella encontró al mago que enredaba sus asuntos, un antiguo soldado manco al que ayudaba un morisco instruido, y consiguió derrotarlos. Así, los molinos volvieron a ser gigantes, las ventas castillos y los rebaños ejércitos, y él, tras incontables hazañas, casó con doña Dulcinea del Toboso y fundó un linaje de caballeros andantes que hasta la fecha han ayudado a salvar al mundo de los embaidores, follones, malandrines e hipedutas que siguen pretendiendo imponernos su ominoso despotismo.

Revelación

Siempre me pareció que tenía algo de pájaro: la manera de mover su pequeña cabeza, con sacudidas suaves, la forma de mirar un poco de lado, los breves gestos mudos con que a menudo separaba y juntaba los labios, como un piquito. Cuando nos casamos, la intimidad de cada jornada me daba nuevas muestras de su aspecto ingrávido, de sus leves sobresaltos, una delicadeza un poco automática, como la de las aves. Han pasado los años y los niños crecieron, ya son casi adultos, y también me parece ver en ellos un aire cada vez más claro de pájaros. Sobre todo desde aquel día que, en las salinas, ella echó a correr hacia los flamencos y se fue volando con ellos.

MICRONOVELA

ELLA LLEGÓ EN EL TRASBORDADOR la tarde del
viernes, cuando el sol recortaba en el pinar una
sombra suave y ocre. Llevaba un bolso pequeño,
en el que guardaba el teléfono móvil manipulado
a menudo con impaciencia. Él recorría la isla sumergido en un ensimismamiento que lo alejaba
de las playas y de los bares. Tampoco su teléfono
le servía para conseguir la comunicación afano-
samente intentada. Se encontraron aquella misma noche, ante una de las tabernas del puerteci-
llo pesquero. Estaban solos en el extremo del
malecón y la cercanía de sus cuerpos despertó en
ambos el reclamo de la compañía. Ella se mostró
despreocupada, jovial, y no le dijo la verdad sobre
su procedencia. Él también aparentó serenidad y
mintió al hablar de su vida cotidiana. Aquellos
disimulos sirvieron sin embargo para que descu-
briesen cada uno en el otro cierta seguridad ante
la noche. La pasaron juntos, y los dos días siguientes. El lunes, a media mañana, cuando es-

taban tumbados en la playa, sonó el móvil de ella, que se alejó para hablar, la voz excitada. Él la empezó a mirar con extrañeza, como si nunca la hubiese visto antes. Aquella misma tarde, el móvil de él recibió una llamada que contestó con júbilo. Al ponerse el sol, mientras ella subía al transbordador, él esperaba la llegada de un avión. Nunca más volvieron a verse.

CRISIS DE PERCEPCIÓN

DURANTE MUCHOS AÑOS mi percepción de esas cosas ha sido la que tiene el común de mis compatriotas, y no sé cuál pudo ser la causa de que comenzase a manifestarse la anomalía, pero con ocasión de la entrega de aquel premio descubrí que el rey estaba desnudo, sin que nadie se inmutase, y continué viéndolo desnudo en todas las ceremonias que retransmitía la televisión. Aficionado como soy a la ópera y a los espectáculos teatrales, en aquellas mismas fechas empecé a percibir que a menudo el escenario permanecía vacío y que los actores, cuando salían a escena, no cantaban ni recitaban, lo que no impedía el entusiasmo de los espectadores ante la supuesta representación. Lo mismo me ocurrió con las películas y las novelas. En aquellas, mientras la gente encontraba escenas hilarantes, conmovedoras o llenas de intriga, yo solo veía una continua imagen borrosa; en estas, los elogios de la crítica o la fama que algún premio les había deparado no conseguían que yo encontrase otra cosa que páginas en blanco o impresas con las mismas palabras, machaconamente repetidas. Consciente de la gravedad del caso, oculté durante mucho tiempo lo que me pasaba, hasta que llegué a sentirme tan desgarrado de mi comunidad que busqué la ayuda de los médicos. Me dijeron que mi dolencia era muy rara, una pérdida grave del sentido de la convención, me internaron, me dieron muchas medicinas, pero no me sentía mejorar. Al fin he resuelto intentar curarme por mi propia voluntad y, tras mentir convincentemente a los facultativos, he vuelto a mi casa y me esfuerzo por ver al rey vestido, por encontrar en los escenarios y en las pantallas los estupendos espectáculos que dicen que suceden, y en esas novelas las admirables y bien contadas historias que celebran tantos lectores. Creo que si continúo intentándolo, conseguiré curarme del todo.

Viento

EL DÍA ERA GRIS y el transbordador respondía con un vaivén ligero a las ráfagas de viento que llenaban el estuario de pequeños abanicos espumosos. Sintió los ojos de la desconocida en cuanto el barco empezó a separarse del muelle. Estaba sentada también en la última fila, aunque en la otra banda. Había en su mirada una expresión de saludo, un brillo acogedor. El barco se alejaba de la orilla y ambos se contemplaron en un repentino diálogo de sus ojos, sujetos por una simpatía que parecía inevitable. De repente el barco tuvo un fuerte bamboleo y la gente se asustó, se acercó a los ventanales que dejaban ver el agua encrespada. Ellos se levantaron también y él se aproximó al lugar en que estaba ella. Había pasado poco tiempo desde la partida, pero el fuerte balanceo de la embarcación hacía vomitar a algunos pasajeros, y los niños lloraban. Ahora estaban de pie, a pocos pasos el uno del otro, y continuaban mirándose con una especie de entrega fervorosa. Un nuevo golpe de viento, que zarandeó violentamente el barco e hizo gritar a los pasajeros, puso en las miradas de ambos un guiño cálido, un gesto de mayor cercanía. Pero el trasbordador había cruzado ya el centro del estuario y el viento perdía fuerza. Ellos no dejaban de mirarse mientras el barco se acercaba a la orilla, aminoraba su marcha, los marineros recorrían la cubierta preparando el amarre. El trasbordador se detuvo al fin y la gente, con aire mohíno, confuso, empezó a desembarcar. Ellos estaban quietos, seguían contemplándose con la misma fijeza, hasta que ya no quedó casi nadie en la cabina. Entonces la desconocida sacudió un poco la cabeza, como si despertase, volvió las espaldas con brusquedad y, tras alcanzar el muelle a paso vivo, se alejó entre la gente. Y él sintió la súbita falta de su mirada, y aquel alejamiento, como si fuese una de las pérdidas más dolorosas de su vida.

CARACOLA

EN LA NIÑEZ creía que ese rumor que suena dentro de las caracolas era el eco del mar. Lo recuerda muchos años después, cuando pone junto a su oído la enorme caracola. Y, en efecto, oye el ruido del mar, ese sordo bramar del oleaje lejano, pero también escucha graznidos de gaviotas que pasan, la sirena de un barco, y por fin una voz que canta, eran muy jóvenes, brillaba el sol del verano, paseaban por la playa cogidos de la mano y ella cantaba esa misma canción, una canción que habla de lo que guardan las caracolas, esta caracola que resuena en su oído mientras el chamarilero contempla con aire suspicaz al hombre mayor que lleva ya más de veinte minutos con los ojos cerrados y una de las viejas caracolas de su tienda apoyada en la oreja derecha.

COSTA DA MORTE

LO PEOR NO FUE encontrar al *Virxe de Muxía* deshecho, el casco embarrancado, casi cubierto por la arena, entre las restingas más apartadas de la Mar de Trece. Tampoco fue lo peor descubrir un brazo humano que asomaba de la arena, junto al barco, y exhumar luego el cuerpo de Amador Sánchez, que deja a su viuda con cinco niños pequeños. Lo peor fue ver cómo ese cuerpo muerto se ponía en pie con enorme esfuerzo y parecía contemplar con sus ojos corrompidos el áspero paraje y a los aterrorizados espectadores. Lo peor fue ver cómo ese cuerpo, con las carnes azuladas y carcomidas entre los harapos, echaba a andar con paso titubeante y penoso hacia el mar, poco a poco, y penetraba en el agua hasta que las olas volvieron a llevárselo, esta vez para siempre, espero.

EL LUGAR DEBIDO

AL FIN, unas luces entre las tierras anunciaron una población. Al llegar a la plaza, el taxista detuvo el coche.

—Ya hemos llegado —dijo.

El pasajero pagó y salió del vehículo. Todo estaba silencioso, solitario, pero tras los cristales de las ventanas había muchos ojos que lo miraban con fijeza. Un resplandor que venía de arriba le hizo alzar la vista. Por encima del lugar, entre el cielo negruzco, se deslizaba una figura gigantesca con vientre blanco y balanceo de pez. Otras figuras similares flotaban más lejos. Peces, peces inmensos que se movían lentamente en un cielo sin estrellas. Un crujido, acaso un chasquido de pinzas, se multiplicó en las calles vacías. El pez más cercano dio un coletazo. Un griterío resonó a lo lejos. Me voy a ahogar, pensó el pasajero, y luego habló en voz alta:

—¿Pero se puede adónde me ha traído usted?

—Al lugar debido —repuso el taxista, antes de poner otra vez el coche en marcha y alejarse.

CUENTO DE VERANO

ELLOS SON DE AGUA, el viento los hace aparecer entre las olas, con el mar batido, hombres de agua, mujeres de agua, niños de agua. De agua sus rostros, sus brazos, de agua esos cuerpos que, de repente, nacen en las crestas de espuma. Los niños son los más osados, llegan corriendo al borde. A veces, un niño corre demasiado y sale fuera de la ola que lo sustenta. La arena lo devora. Acuden entonces las madres, forman una fila entre la espuma, gritan. También a menudo una madre llega demasiado lejos. La arena la devora. Yo soy la arena.

COMPARSAS

SE CASARON y se fueron al piso. Habían encontrado el alquiler menos caro en una población de la periferia, entre enormes edificios de ladrillo que se alineaban multiplicando la simetría de ventanas innumerables. Vivían lejos de su trabajo, un tren, un autobús, el metro, debían levantarse antes del alba y se pasaban los domingos en la cama, intentando recuperar el sueño. A los pocos meses empezaron a tener desavenencias, reproches por asuntos domésticos, quejas recíprocas, roces que provocaba el cansancio. Una noche la discusión fue tan grave que él salió de casa dando un portazo y echó a andar por la avenida que canalizaban los dos murallones de edificios. Soplaba un viento frío y buscó el resguardo de una de las estrechas calles perpendiculares que separaban los bloques de viviendas, hasta llegar a la trasera, una parte que no conocía. La riña reciente lo tenía muy desasosegado y sentía su vida como un mero pasar insatisfactorio, un continuo sacrificio laboral en el que no había nada estimulante. En el último tramo llamó su curiosidad un gigantesco andamiaje metálico, y acabó descubriendo lo que parecía el tinglado de un decorado. Vistos desde allí, los bloques de viviendas daban la impresión de carecer de profundidad, de ser ficticios, simulacros, apariencias, solo enormes paneles frontales. Decidió regresar, pero se fue extraviando cada vez más entre aquellos armazones donde no aparecía ningún volumen habitable. En el frío de la noche, mientras buscaba el camino de casa, tuvo miedo de pensar que su vida acaso no era sino el papel insignificante de un simple comparsa en un espectáculo que él mismo desconocía.

Año nuevo

ACABAMOS DE ACOSTAR al abuelo y nos vamos a dormir. Al entrar en nuestra habitación encontramos sobre la cama al año recién nacido. Es un pequeño manojo de pétalos, o de plumas. *Como un pollo*, dice mi mujer. Ahora puedo descubrir en él algo redondo, que parece un ojo, y siento miedo. Tiene un brillo amarillento, maligno, que acaso vislumbra los misiles que caerán sobre ciudades inermes, las bombas que harán explotar los fanáticos, las multitudes en huida por parajes huraños, los niños hambrientos devorados por las moscas, las catástrofes de hielo, fuego, agua y porquería que nos aguardan. Pero el año recién nacido vuelve la cabeza, si es eso una cabeza, y muestra lo que pudiera ser otro ojo verdoso, de reflejo benéfico, y me acaricia una sensación de paz, pues quizá ese ojo percibe días hermosos, niños bien alimentados que aprenden a leer, gentes que disfrutan en paz de la fiesta tras el trabajo, ciudades cuyos habitantes se sienten acompañados y protegidos, un mundo lleno de amigos y de amantes. En apenas segundos el año ha crecido. Ahora es un matorral multicolor que de repente alza el vuelo y atraviesa como un rayo de luz las cortinas y los vidrios de la ventana. La abrimos para verlo ascender, brillando en la noche sus pétalos multicolores, mientras se esparce entre los innumerables cohetes y fuegos de artificio que los vecinos están lanzando para celebrar su llegada.

PARTE METEOROLÓGICO

HAY MUCHAS nubes en el recibidor, que ocultan la lámpara del techo y se infiltran progresivamente en la cocina y en el pasillo. Continuarán descendiendo las temperaturas, y es previsible que granice en el cuarto de baño y que llueva en la sala. Las precipitaciones serán de nieve en lo alto del aparador y en el borde superior de los cuadros. En las habitaciones del fondo, el tiempo continuará siendo seco y soleado.

LAS CUATRO

DEBÍAN DE SER LAS CUATRO de la mañana en
Madrid, aquí dentro era, como es todavía, esa hora indefinida, misteriosa, de los aviones que cru-
zan por la noche el océano. La película había terminado hacía poco, todo estaba a oscuras y yo me
arropaba en la manta intentando encontrar algo
de sueño bajo el desasosegante bamboleo y el
zumbido de los motores. El Airbus 340 seguía im-
pregnado de un olor en todo parecido al de la orina de gato, que había sido muy intenso cuando
entré en el avión, unas horas antes, y que no acababa de desaparecer. Al otro lado del pasillo dor-
mitaba un hombre muy blanco y muy gordo, tan
gordo que su adiposidad se desparramaba sobre
el reposabrazos. Una azafata que se aproximó camino de la trasera me hizo abrir los ojos y descubrí que me había quedado dormido. En el rostro de la azafata había una mueca que podría ser
el inicio de una sonrisa o de un gemido. Había
pasado ya y yo estaba a punto de volver a cerrar

los ojos, cuando apareció en la sombra del pasillo un bulto insólito, que al acercarse me resultó terrorífico y me inmovilizó: era un león, la cabeza alta como los respaldos, la melena ocupando todo el ancho del pasillo. Llevaba la boca abierta y cuando estuvo muy cerca vi brillar sus enormes colmillos, barnizados de saliva. Apreté los ojos, me arrebujé en la manta, volví a buscar el sueño que me hiciese olvidar la quietud forzosa del viaje y la peligrosa visión. No se cuánto tiempo ha pasado, persiste la oscuridad, el suave vaivén, el runruneo de los reactores. Vuelvo la cabeza con cuidado: el pasajero gordo ha desaparecido y al fondo la azafata, de pie, me mira con fijeza. En el ambiente sigue predominando un olor muy similar a la orina de gato.

País de vampiros

Aquí el descanso perfecto es imposible. No podemos dormir tranquilos, aunque nuestro cobijo sea seguro. Caemos en un sueño inquieto, temeroso, lleno de sobresaltos. Un sueño donde los presentimos, dedicados a su ávida busca, con el propósito indeclinable de alcanzarnos. Invadidos por un miedo que a veces nos hace despertar, imaginamos sus figuras oscuras, sus capas aleteantes, el maletín en que guardan la aguzada estaca que esperan clavar en nuestro corazón.

FOTO ANTIGUA

HAN TENIDO BUENA PUNTERÍA y se sienten tan
orgullosos con sus trofeos de peluche como si hu-
biesen cazado una pantera negra y un oso pardo.
Puede sospecharse detrás de su euforia la sombra del servicio militar, y hasta de la guerra: el
rayadillo que viste el de la izquierda bajo la sa-
hariana hablaría de Cuba, si no estuviese al parecer tan lejana del tiempo de la foto, y esos tur-
bantes que sin duda les ha puesto el fotógrafo
para mayor gracia no nos evocan a los *nababs* de
la India, sino a Abd_el_Krim, el desastre de An-
nual y el desembarco de Alhucemas. Además, ob-
servad cómo uno sujeta su gatito con su mano
campesina como si fuese un fusil. También el
otro tiene aire de sostener un arma larga, aunque con gesto más delicado. ¿Un licenciado y un
recluta? ¿Dos veteranos? Quiero pensar que tuvieron una fiesta feliz y que sus muñecos de tra-
po les sirvieron para encontrar unas muchachas
alegres y complacientes que bailaron con ellos

durante toda la noche. Pero también se pueden imaginar otras cosas. El caso es que, en el dorso de la foto, con letra muy tosca y tinta que también es ya ocre, alguien escribió: *Astorga. En Nuestra Señora. Siempre amigos. Victorino. Ramiro.*

La gran catarata

La AVIONETA nos conducía hacia la gran catarata, el salto de agua natural más grande del
mundo, cuyo bramido se podía escuchar desde el
hotel en que nos alojábamos, a bastante distan-
cia del lugar. La mañana estaba brumosa, pero el
piloto había dicho que pronto despejaría. Entonces advertí algo inusual tras el asiento que ocu-
paba mi mujer, delante del mío. Incrustado entre
el fino zócalo de plástico y la pared de la cabina
había un objeto rojo, que no tenía aspecto de per-
tenecer a la estructura del aeroplano. Me incliné
y lo toqué con el dedo: parecía un lápiz, que se es-
currió para encajarse más entre el zócalo y la pared. Volví a tocarlo y lo empujé poco a poco, hasta hacer asomar un trozo largo de su envergadura.
En efecto, se trataba de un lapicero de cuerpo he-
xagonal, de esos que llevan una goma en un extremo. Tal como estaba colocado, podía moverse
bien en sentido longitudinal, resbalando a lo largo del resquicio, pero era difícil sacarlo de aque-

lla hendidura. Un grito de mi mujer llamó mi atención: la bruma se iba disipando y a lo lejos se divisaba un enorme muro blanquecino, que resaltaba entre la espesa vegetación de la selva. La avioneta se inclinó sobre un ala para cambiar el rumbo y descubrí que el lapicero se había desplazado ligeramente fuera de su casual alveolo. Si tuviese un alambre, un vulgar clip para papel, sería fácil extraerlo, pensé. *¡La catarata! ¡La catarata!*, exclamó mi mujer, con voz jubilosa, y percibí que el muro blanquecino, ya más cercano, quedaba a nuestra derecha. Se me ocurrió entonces que acaso una de las patillas de mis gafas podía servirme de gancho para sujetar el lapicero y hacerlo salir. El ruido de la gran catarata era ya ensordecedor y la avioneta daba bruscos saltos que hacían bastante ardua mi labor. Me agaché todo lo que pude. Ayudándome con la otra mano, intenté completar la extracción. El lapicero se soltó varias veces, pero al fin conseguí sujetarlo firmemente y, forzando el borde del fino zócalo, sacarlo del todo. El ruido de la gran catarata se había hecho otra vez menos intenso. Mi mujer miraba hacia atrás y yo volví también la vista para contemplar el enorme muro blanquecino del que nos íbamos alejando. *¿No te ha parecido impresionante?*, me preguntó a voces, y yo asentí con la cabeza, confuso. En uno de los lados del lapicero estaba impreso, con letras doradas, *Germany, dessin 2000, Faber-Castell.*

Relato verídico

El ARCHIPIÉLAGO es rico en islas peculiares. En una hay estanques de lodo que hacen más hermosa la piel de quien se baña en ellos. Otra está rodeada por una playa de arenas finas y blancas donde los jóvenes pasan la noche bailando. Alrededor de otra se crían las más grandes conchas y caracolas. Aquella es rica en arbolado, esta en tierras cereales, esa en caballos. Pero nadie quería hablarme de la más lejana. *Mejor no ir hasta allí,* me decían. *No se te ocurra ni acercarte,* repetían. Navegué hasta ella una mañana de verano, con brisa muy favorable, y cuando estuve cerca vi que desde una playa dorada, rodeada de pinos, me saludaba con alegría un grupo de gente. Fondeé en la ensenada, arrié el bote y remé hasta la orilla. Los hombres eran apuestos y las mujeres hermosísimas, pero cuando estuve junto a ellos descubrí que abrían bocas enormes con infinidad de dientes afilados, mientras me rodeaban con aire amenazador. Echo a correr, mis perseguidores me alcanzan enseguida, y comprendo que sus figuras han sido solo el embeleco del espantoso ser con aspecto de ciempiés que se dispone a devorarme.

INSTALACIÓN

POR UN ERROR DE FECHAS, visitó el lugar después de que hubieran retirado ya lo que había formado la exposición de un artista bastante conocido: una de esas muestras de arte contemporáneo que presentan ciertos objetos cotidianos o vulgares para despojarlos de su función y ofrecerlos a otra mirada. Sin embargo, no supo que la exposición había concluido, porque en la fachada del gran pabellón acristalado permanecían los carteles anunciadores. Sorprendido ante lo solitario del lugar, entró. Desnudo el recinto de cualquier cosa, un juego de claroscuros se desplegaba como único ocupante. Más allá de los vidrios, los espacios de fulgor se alternaban con la insinuación vegetal y sombría del parque crepuscular. En el interior, las estructuras de las columnas de hierro que sostienen el armazón metálico del edificio se conjugaban con el sol declinante en la densidad palpable del espacio vacío, generando un vigoroso e inquietante ámbito. Sobre la suavidad del suelo polvoriento se depositaban los signos seguros, aunque indescifrables, de las sombras alargadas. El momento de la luz estaba propiciando aquella instalación asombrosa. Permaneció inmóvil durante bastante tiempo y, todavía sin salir de su error, pensó que el responsable de aquella exposición evanescente era, sin duda, un artista extraordinario.

El trapecista

MIENTRAS ME CONTEMPLÁIS allá arriba, pensáis que doy saltos inverosímiles, que me retuerzo en el aire en locas contorsiones. Sin embargo, aquí arriba, en el aire, yo reproduzco la danza orbital de Júpiter, los giros de Venus, las sucesivas derivas de los grandes cometas, la vertiginosa rotación de Aldebarán. Y en sincronía con el palpitar del universo, os veo abajo a vosotros, al otro lado de la red, en vuestra inverosímil y loca quietud de espectadores atónitos.

Rescatado

Uno de los rescatados con vida ha sido ese niño, que estaba abrazado a su osito de felpa. Se encuentra en buenas condiciones de salud, aunque vigilado por un equipo de psicólogos. El sepultamiento y el largo tiempo de soledad no le han dejado otro recuerdo que la larga conversación que dice haber mantenido con su osito durante todo el tiempo, entre la avalancha y el rescate. Asegura que el osito le cantaba canciones, le contaba cuentos, le hacía imaginar que no estaban debajo de la nieve, sino sobre la hierba, al sol del verano. Fue el osito quien le dijo que no debía tener miedo, que sus papás estaban fuera, a salvo, buscando picos y palas para llegar hasta él. Y cuando se quedaba dormido, aterido de frío, el osito le obligaba a despertarse, porque decía que había que estar atentos para que él gritase cuando se oyese que lo llamaban, pues los ositos no pueden gritar, sino solamente hablar muy bajito. Los psicólogos atribuyen al osito esa condición de talismán, objeto milagroso, compañero especular nacido de nuestro propio miedo, al que se le transfieren los deseos y preocupaciones, con la esperanza de recibir una ayuda segura. Es un caso de libro, un ejemplo tópico, dicen, aunque hay aspectos difíciles de explicar, como el que un niño tan pequeño, que nunca había tenido una experiencia semejante, supiese que los grupos de rescate andaban a voces sobre las casas sepultadas. Pero no le han dado demasiadas vueltas al asunto, como no se las voy a dar tampoco yo, aunque mientras hacía la foto me haya parecido que el osito estaba murmurando en el oído del niño medio dormido una de esas nanas que antes cantaban las madres y las abuelas.

EL FINAL DE LÁZARO

A LOS QUINCE DÍAS de su resurrección Lázaro empezó a encontrarse muy mal. Su estancia en el lugar de nada y de nadie le había cambiado la forma de ver las cosas y hasta la manera de ser. En el paraje más hermoso sentía el tiempo carcomiéndolo todo, en la alegría de los niños y de las muchachas adivinaba su tristeza de viejos, toda la comida le sabía a cuerpo sin vida, percibía continuamente el acecho y hasta la invasión del final aniquilador. Pasó otro mes y una mañana fue a visitar a Jesús y le pidió que le devolviese la muerte. Su actitud era muy humilde, pero en sus ojos había una brasa de determinación y de reproche. Jesús, tras contemplar a su amigo durante un rato, alzó una mano. Y Lázaro cayó muerto, esta vez para siempre.

Ni colorín ni colorado

Cenicienta, que no era rencorosa, perdonó a la madrastra y a sus dos hijas y comenzó a recibirlas en Palacio. Las jóvenes no eran demasiado agraciadas, pero empezaron a tener mucha familiaridad con el príncipe y pronto los tres se hacían bromas, jugueteaban. A partir de unos días de verano especialmente favorables al marasmo, ambas hermanas tenían con el príncipe una intimidad que despertaba murmuraciones entre la servidumbre. El otoño siguiente, la madrastra y sus hijas ya se habían instalado en Palacio. La madrastra acabó ejerciendo una dirección despótica de los asuntos domésticos. Tres años más tarde, la princesa Cenicienta hizo público su malestar y su propósito de divorciarse, lo que acarreó graves consecuencias políticas. Cuando le cortaron la cabeza al príncipe, Cenicienta hacía ya tiempo que vivía con su madrina, retirada en el País de las Maravillas.

LAS CINCO

AQUELLA VEZ me despertó un fruncirse de ropa muy cercano, como si alguien vestido con una gabardina gruesa o un chaquetón de lona se hubiese sentado en el suelo. Percibí también un olor rancio: tal vez aquella ropa que se arrugaba era vieja y su portador no estaba demasiado limpio. Encendí la luz, pero allí no había nadie. La experiencia se repitió otras veces, aunque nunca fui capaz de ver ni de tocar el supuesto cuerpo que llegaba de repente en la oscuridad para acurrucarse junto a mi cama y despertarme. Una noche me pareció escuchar el murmullo de una voz que decía *despedido*. Varias noches después, a la misma hora, la misma voz musitó algo que, según me pareció, hablaba de enfermedad, de un hospital. Empecé a tomar pastillas para el sueño, pero no eran del todo eficaces a la hora en que aquella gabardina o chaquetón se arrugaban bajo los movimientos del invisible. Hace dos meses le oí hablar por última vez, murmuró algo sobre una operación. Ya no ha vuelto a despertarme.

JOSÉ MARÍA MERINO

CUENTO DE OTOÑO

ERA BASTANTE MAYOR que yo y no íbamos a vernos nunca más. Alrededor de nosotros, lo que quedaba del verano era ya solo un cadáver cubierto de sangre amarillenta y ocre. Me dijo algo en su idioma, acarició mi cara, me dio un beso rápido. Entonces sentí por vez primera el dolor del otoño.

Un éxito

Intento tranquilizarme y pensar que es natural que esté vestido de época, con los demás cantantes, ya que voy a intervenir en la ópera, pero me preocupa no recordar sino de modo muy vago mi papel. El espacio, sin embargo, no es el de un teatro, sino una pequeña aula de Filología de la Complutense, y los actores estamos en la tarima. Tenemos solo cinco espectadores, repartidos por los pupitres: mi mujer, mi cuñada Pachi, mi ahijada y una pareja desconocida, la cabeza de él cubierta por una gorra visera de forma clásica, bastante mayores, que se sientan juntos con los brazos entrelazados. Me corresponde a mí comenzar el espectáculo y tengo en la mano el texto de mi aria: *cojo la primera y mi pongo di duran*, dice, exactamente. Desde la intuición de un recuerdo muy borroso, comprendo que debo cantar mucho rato y empiezo a improvisar procurando que cada sílaba, y cada palabra, ocupe largo tiempo: *co co co co co*, repito, una y otra vez, con diversos tonos de voz, en un estilo que me parece mozartiano, y al cabo alcanzo la siguiente sílaba, *jo jo jo jo jo,* y así en lo sucesivo, con infinidad de florituras, hasta completar la primera oración, *cojo la primera, cojo la primera, cojo la primera,* y me voy enardeciendo mientras canto, recorro con mi voz una escala muy amplia de sonidos, hasta concluir con bravura mi cantable. Cuando termino, mi mujer, mi cuñada y mi ahijada aplauden con verdadero entusiasmo, gritan bravo, bravo, una y otra vez. La pareja de desconocidos sonríe complacida. No sueltan su abrazo, pero la mujer golpea con la palma de una mano en el hombro del compañero, en gesto también de aplauso. Mi mujer se levanta, llega con rapidez hasta mí, me abraza, me besa, *un éxito,* exclama con emoción, *un éxito.*

El bienmesabe

Propio de ángeles, decían, era famoso el bienmesabe que elaboraban sus manos. Con ocasión de una visita del arzobispo a la diócesis, todos estuvieron de acuerdo en que aquel debía ser el postre que rematase el selecto almuerzo que se le iba a ofrecer a Monseñor. Ella también estaba presente, y la impaciencia por asistir al momento en que el arzobispo degustase su glorioso bienmesabe apenas le dejó probar los platos del banquete. Llegó al fin el postre y el arzobispo comió el bienmesabe igual que los anteriores manjares, con la indiferencia de quien cumple una pura rutina alimentaria. A ella, la decepción le causó la amargura mayor de toda su vida, y muchas veces soñó con aquel momento, el silencio del salón, el arzobispo consumiendo a cucharaditas el bienmesabe sin mostrar la mínima complacencia, los ojos de todos mirándola a ella mientras reflejaban acaso cierta repentina desconfianza. Varios años después, el arzobispo visitó de nuevo la diócesis, pero aunque el bienmesabe que ella hacía continuaba siendo famoso, a nadie se le ocurrió proponerlo como culminación del nuevo banquete. Y cuando llegó la hora del postre, el arzobispo, que tampoco entonces había hecho alusiones a los sucesivos platos del almuerzo, recorrió con la vista a sus anfitriones y exclamó, con seguro reproche: *ya veo que hoy no me ofrecen el postre tan bueno que me dieron en mi anterior visita.*

FALSAS IMPRESIONES

EN LOS PRIMEROS AÑOS de nuestro matrimonio, el *¡Manolín!* que culminaba su entrega amorosa me llenaba de desolación. Ahora, cuando en esos mismos momentos me llama por mi nombre verdadero, siento la tristeza de haber dejado de recordarle los abrazos apasionados de aquel desconocido.

EL DESPISTADO (TRES)

ME ACOSTÉ y me quedé dormido enseguida, pero he despertado de repente sintiendo el agobio de mi propio lecho, que ha dejado de ser blando y que oprime mis codos y mis costados con rara pero insoslayable rigidez. En la negrura del dormitorio me parece escuchar murmullos, voces que cuchichean o rezan. Intento moverme, levantarme, pero no lo consigo e imagino que estoy atrapado en el umbral de un sueño. Paciencia.

Génesis, 3

Aquella mañana empezamos a ver las cosas más claras: la complejidad del universo, la evolución de los seres vivos, que sobre un punto de apoyo se podría levantar el planeta, que era la tierra la que giraba alrededor del sol y no al contrario y, sobre todo, intuimos que la existencia es un misterio indescifrable. No habían pasado ni dos horas cuando llegó el guardia con la carta de desahucio: el casero había conseguido echarnos a la calle. Nos vinimos a este lugar tan frío, tuvimos hijos. Del resto saben ustedes mucho más que nosotros. El caso es que aquella mañana, en el desayuno, habíamos compartido una manzana.

LAS SEIS

ABRE LOS OJOS y descubre los volúmenes de la ciudad, el largo muro que se alza a un lado y la enorme curvatura de otro edificio, una especie de cúpula que se levanta al lado opuesto, y más allá un edificio menor, que en sus líneas repite formas parecidas. Entre ellos, en lo alto, un sol neblinoso derrama sobre las cosas su luz desvaída, incapaz de producir fuertes contrastes ni sombras sólidas. Todos los lugares del planeta son pequeños y cada confín parece tan cercano que los parajes tienen aire de interior, sin las extensas perspectivas que cerraría un horizonte lejano. Los volúmenes de esos edificios, el sol borroso arriba, y él caído en el suelo, súbitamente vuelto a la conciencia: algún engranaje, alguna pieza está fallando en su mecanismo, y percibe claramente el desarreglo como una opacidad que se interpone para obstaculizar el fluir del pensamiento. El planeta con sus peculiares habitantes, el trabajo de robot que cumple en las simas, la batalla. Su sistema lógico debe de estar tan averiado como el resto de su maquinaria, pues no puede recordar con claridad nada de lo que está intentando evocar ¿Cuándo tuvo lugar todo eso? Ahora mismo percibe otra sensación, la de que si su cuerpo tuviera un estómago humano, este se encontraría en un momento muy malo. De repente, un sonido agudo se repite, una y otra vez, e intenta reconocer su naturaleza. Es el teléfono. Él está caído en el suelo del cuarto de baño, le duele la cabeza, el teléfono suena todavía mientras se levanta. Hay alguien durmiendo en el sofá. El teléfono deja de sonar. Botellas vacías, vasos desperdigados, montones de colillas. Busca en los cajones algún remedio para combatir los rigores de la resaca.

VIAJERO APARENTE

EL ITINERARIO del aperitivo no fue como todos los días. Al encontrarse con él, muchos mostraban gran regocijo, le felicitaban por su regreso, se alegraban de volver a tenerlo entre ellos. *Bienvenido, Ramiro, ya era hora de que volvieses, bienvenido, te habías ido demasiado lejos*, le invitaban, un bar después de otro, *Ramiro ha vuelto*, decían, *esto hay que celebrarlo*. Bebió de más, y cuando después de despedirse se fue a su casa para almorzar, con bastante retraso, caminaba inseguro y tenía mucha confusión en la cabeza, pero no tanta como para no saber que nunca había salido de aquella ciudad y que no se llamaba Ramiro.

SATÁNICA

CON LOS AÑOS, en mi casa han ido encontrando sitio bastantes símbolos religiosos, los tres Reyes Magos con sus pajes, Siva Nataraja, una Inmaculada de cerámica, un San Pancracio, un Ganessa, una Virxe da Peregrina, un icono rumano del nacimiento de Jesús, un San Miguel clavando su lanza en la boca del dragón, el Ankh egipcio, en fin, muchos de esos talismanes que tienen al parecer la virtud de alejar a las fuerzas del mal. Sin embargo, al entrar hoy en mi cuarto de trabajo me encuentro a Satanás sentado en mi sillón de leer. Lo conozco enseguida porque no tiene aspecto de joven apuesto ni de caballero distinguido, sino que es de color rojo, está desnudo, las piernas peludas rematadas en patas caprinas, tras su espalda asoman dos alas doradas y entre su cabellera negra surgen dos cuernos también dorados. En su rostro rojo brillan los ojos con lo que parece más tristeza o fastidio que radical perversidad. Lleva bigote y perilla, como un mosquetero. *Vade retro*, exclamo, por si acaso. *Hablo español,* responde, cortante. Tiene la voz de Marlon Brando en *El Padrino. Estás escribiendo del libro de la noche y no he merecido ni una alusión tuya,* añade. *Yo soy el señor de ese libro, que es mucho más que un libro, es un territorio inmenso, con ciudades y selvas, con puertos de mar y parques temáticos, un territorio de gran iniquidad, de majestuosa injusticia, de crímenes esplendorosos, y tú no has dicho de eso ni una palabra.* No sé qué contestar. Menos mal que mi mujer ha asomado por la puerta y Satanás desvía por un momento su atención de mi persona. Mi mujer entra de repente y arroja algo sobre Satanás: es su rosario de la primera comunión, y Satanás se convierte en una masa blanca, efervescente, como el agua oxigenada cuando se deposita sobre una herida. Mi mujer, con determinación, mete las manos bajo esa espuma, agarra el cuerpo que cubre, lo aprieta, lo va amasando y reduciendo como si manejase nieve, hasta convertirlo en una bola que cabe en sus manos. Guarda luego la bola en una bolsa de plástico, pinta sobre ella una cruz con el mismo rotulador que utiliza para marcar el contenido de las bolsas de comida y la guarda en el congelador del frigorífico, *mientras pensamos en otro sitio mejor,* dice. De manera que tengo a Satanás cautivo en el frigorífico de mi casa. Tal vez en el libro de la noche ya no fructifiquen la iniquidad, la injusticia ni el crimen, pero en el libro del día ese cautiverio del Señor del Mal no se ha notado, el mundo sigue dominado por la hipocresía, la guerra, el horror. Y me da miedo imaginar a quién corresponde el señorío del libro del día.

Señor y perro

UN ASCENSO IMPORTANTE en su carrera, con el traslado a la gran ciudad, le hizo instalarse en un barrio distinguido. Al atardecer veía a los vecinos elegantes, circunspectos, recorrer las calles íntimas llevando a sus perros de paseo. Aquellos hombres y mujeres sostenían la traílla con la mirada perdida, ensimismados en su andar, y al comparar su impavidez con la viveza de los animales que les precedían tuvo la ocurrencia de que eran aquellos perros de razas selectas, aquellos ejemplares valiosísimos, quienes llevaban de paseo a los humanos. La afición de sus vecinos le hizo entrar un día en una tienda de animales y encargar un perro. Esta tarde se lo han traído a casa y ambos se han estado observando durante mucho tiempo. El perro es lanudo, con grandes mandíbulas alargadas y pequeñas orejas picudas. Muy joven, salta a su alrededor. De repente deja de saltar, busca una correa cerca del cesto en que lo han transportado y se acerca con ella en la boca. *Vamos a dar un paseo*, siente que piensa el perro, y él, sacudiendo las nalgas con repentino impulso, responde con un ladrido jubiloso.

CUENTO DE INVIERNO

HABÍA UN HOMBRE que vivía junto a un cementerio. Colinas cubiertas de cruces, lápidas y panteones, un horizonte formado por las altas construcciones de otro barrio de la ciudad, era el panorama que podía contemplar cada día desde sus ventanas. Muchos años de trabajo oscuro y rutinario, de vida estrecha y fatigosa, desembocaron al fin en la jubilación y desde entonces se pasaba casi todo el día en casa, observando el cementerio. Descubrió que había gente caminando por allí y empezó también él a pasear por aquellas calles estrechas que flanqueaban las tumbas y los monumentos funerarios. Leía los nombres de los difuntos y, con el paso del tiempo, empezó a verlos sentados sobre sus losas, o apoyados en las esculturas, o paseando también lentamente a la sombra escasa de los cipreses, descarnados, desgreñados, algunos con costras de sangre seca en la cabeza, en las ropas ajadas. También descubrió que los días allí eran diferentes: a veces se sucedían varios lunes, o aquella semana no había miércoles, ni sábado. A veces el mismo mes se alargaba tanto, cuarenta, cincuenta días, que los lunes se empezaban a llamar luernes, o los jueves juertes, o los sábados samingos. Mas todo era tranquilidad, quietud, no se escuchaba una voz más alta que otra, ni ruidos de motores, allí no hacía frío, ni daban ganas de comer, ni de dormir. Por eso no se inmutó cuando, después de que pasaron varios años, supo un día que tenía que quedarse allí, que ya no podía regresar a su casa.

GOLPE DE ESTADO

LA EJECUCIÓN de tantas mujeres sucesivas estimuló en el rey Shariar el gusto por la vista y el olor de la sangre derramada. Tras perdonar la vida a Sherezade, cada día, muy de mañana, hacía decapitar a un condenado. Poco después del amanecer, Babú, el esclavo entre los esclavos del rey Shariar, le presentaba la primera infusión del día y una lista con varios nombres de reos posibles víctimas, para que él eligiese. Una hora más tarde, ya desayunado y revestido con sus ropas de gobierno, el rey Shariar asistía, muy de cerca, a la decapitación del reo designado. Esta mañana, Babú, el esclavo entre los esclavos, le ha ofrecido la infusión pero no la lista de condenados, y el rey Shariar le mira con severa extrañeza. *Hoy el ejecutado vais a ser vos, mi señor*, murmura Babú. *El Gran Visir os ha derrocado esta noche mientras dormíais.* El Gran Visir, que reinó con el nombre de Alhakem y el sobrenombre de Misiano, reparó muchas de las injusticias de Shariar y fue muy querido de sus súbditos. Casó con Sherezade, la proclamó Primera Señora, y todas las noches escuchaba un cuento de su boca. Se dice que disfrutar como oyente exclusivo de los cuentos de la sabia narradora fue el motivo principal de su sublevación para derrocar a Shariar, pero la verdad solo la conoce Dios, el Clemente, el Misericordioso.

CASAS PINTADAS

EL VIAJERO TROPEZÓ con la casa por casualidad y descubrió con asombro que aquella edificación en la ladera de una montaña, reproducida en un pequeño cuadrito heredado de una tía abuela, había sido el vago estímulo con que habían comenzado sus ya numerosos viajes. EMPEZADINA, decía una inscripción en el marco, y ese mismo nombre figuraba esculpido en el dintel de piedra, sobre la puerta de la edificación. *Un día buscaré Empezadina,* se había prometido de niño, ante aquella pintura de la casa solitaria de cerradas ventanas rodeada por cinco enormes árboles. Llamó y le abrió una mujer con un vestido de colores que resultaba grotesco en su ancianidad. La mujer, que debía de ser sorda, le hizo entrar y le pidió que esperase mientras ella avisaba al dueño. El viajero echó un vistazo a la sala y, en una de sus paredes, descubrió un cuadrito en el que se reproducía la fachada de la casa donde él vivía, en su ciudad natal. El portal aparecía cerrado y todas las ventanas oscuras, y en el marco había un letrero que decía TERMINADINA. El viajero oyó al fondo unos pasos que se acercaban, pero un repentino impulso le hizo salir de aquella casa y alejarse corriendo, entre la luz cansina del atardecer.

La otra parte

El viajero ha llegado cansadísimo al hotel y, sin abrir las maletas, ha llenado la bañera, se ha desnudado, se ha sumergido en el agua. Apoyados en la pared de la bañera, bajo los grifos, sus pies muestran la parte anterior, abanico de dedos que ha permanecido contemplando con fijeza durante mucho tiempo, atrapado por el sopor en que se conjugan el cansancio y el calor del agua, hasta que tiene la sospecha de que aquellas dos figuras simétricas no son unos pies, sino alguna incomprensible forma viva que le está contemplando a él con recíproca fijeza. *Acaso no quiera dejarme salir de la bañera*, piensa el viajero, antes de quedarse dormido.

NICOLASITO

DON DIEGO ESTÁ PINTANDO. Muy cerca de él, los armazones revestidos con la ropa de los Reyes reflejan en el espejo del fondo unos cuerpos descabezados. He venido a su lado y, después de mirar cómo pinta, tan absorto, me vuelvo para hacerles burlas a todos. Unos ponen cara de risa, como la infanta Margarita, y otros de reproche, como Maribárbola. De repente llega del fondo la voz de don José Nieto: *Nicolasito, compostura,* y le descubro en el vano de la puerta. Don Diego ha dejado de pintar y, al encontrarme a su lado, me habla con severidad. *Vuelve ahora mismo a tu sitio,* ordena. Pero en mi sitio se ha tumbado la perra Laciana. Voy a darle una patada, para echarla, cuando don Diego me dice que me quede con el pie sobre ella y los brazos alzados. Ganas de fastidiar.

Portazgo

Empecé a soñar que estaba delante del acceso a un lugar que debía de ser muy antiguo, por el aspecto de los oscuros muros pétreos y la calidad de la enorme puerta, en que la madera, el bronce, el oro y la plata se conjuntaban para mostrar una solidez y una majestad de otro tiempo. Me acerqué para entrar, pero había allí un guardián, un hombre muy alto, con atuendo de sij, los brazos cruzados, que llevaba un gran alfanje colgado del cinturón, y que me exigió pagar una moneda. Yo no llevaba dinero conmigo, y tuve que permanecer ante las grandes puertas y el inmóvil guardián durante mucho tiempo, hasta que me desperté. El sueño se repitió tantas veces que comenzó a inquietarme, y una vez se lo conté a mi mujer, mientras desayunábamos. *Métete un euro en un bolsillo del pijama*, dijo mi mujer, echándose e reír. Lo hice, y por fin he soñado que el guardián me dejaba pasar tras entregarle la moneda. El lugar es inmenso, y en él se concentra toda la gloria de los imperios antiguos, el sitio de Tikal y la pirámide roja de Shakara, el palacio de Darío en Persépolis y los templos carnales de Kahurajo, el palacio de Ctesifonte, el Fuerte Rojo de Agra, el templo sonoro de Visnú en Vijayanagar, con muchas otras edificaciones, jardines, sitios ceremoniales. Es una hora de crepúsculo permanente, la luz rosada dora las antiguas piedras y yo soy el único visitante de este lugar en el que permanecen las muestras el esplendor antiguo. Pero ha pasado mucho tiempo y decido regresar a la puerta. El guardián está ahora en la parte de dentro, y cuando me dispongo a salir me exige otra moneda. Le digo que ya no me queda ninguna, saca el alfanje con ademán amenazador y me obliga a permanecer ante la salida. Y aquí estoy, esperando un despertar que no llega.

POSDATA

OTRA COSA: por la noche, al acostarte, no te olvides de cerrar bien las puertas de los armarios. De lo contrario, pueden salir los trajes y los vestidos en la oscuridad a pasear por la casa, a bailar en la sala, y los calcetines a hacer carreras por el pasillo, y hasta las blusas y las camisas y los calzoncillos y las bragas a tomar ese aire nocturno que les da mayor palidez, y cuando te levantes acaso te encuentres alguna chaqueta durmiendo en el sofá o el suelo del vestíbulo nevado de pañuelos.

LA TOSTADORA

Es una mañana estupenda de primavera y vamos a desayunar en la terraza. Mientras mi mujer prepara el café llevo allí la fruta, las mermeladas, la miel, las tazas. Sobre la mesa, ya conectada al enchufe eléctrico, encuentro una tostadora nueva, sin duda una sorpresa de mi mujer, pues la antigua, muy vieja, estaba sin control y quemaba siempre el pan. Esta es oblonga, toda ella redondeada, brillante, con una forma aerodinámica, un diseño muy moderno, sin ángulos. Pero enseguida me pregunto por dónde se meterá el pan, pues no presenta ninguna abertura en la parte superior. Al fin veo, en el extremo opuesto al cable de conexión, un espacio horizontal, alargado, transparente. Imagino que es una bandeja, pero no soy capaz de extraerla, y mientras lo intento descubro en el interior algo que me impresiona desagradablemente, unos bichos vivos, de cabezas blanquecinas y extraños miembros prensiles. Doy voces a mi mujer y llega corriendo. *Yo no he puesto eso ahí*, responde, mirando a los bichos con la misma repugnancia que yo. De repente, el cable que conecta la supuesta tostadora a la corriente se suelta y se retrae dentro del artefacto, que recorre la mesa, salta al aire, queda suspendido unos instantes y sale luego volando con rapidez hasta perderse en el cielo lleno de luz. El incidente nos ha inquietado mucho: a mi mujer le vibran con pavor las antenas y yo siento que se me han erizado los pelos del abdomen y que me tiemblan todas las patas.

III.
Inéditos y dispersos

PARA UNA HISTORIA SECRETA DEL ÉXITO

AL PRINCIPIO me conformaba con que algunos
amigos del colegio admirasen mis invenciones es-
critas. Luego anhelaba publicar un libro, solo
eso, y me sentí dichoso cuando tuve en las manos
el primero de los trescientos ejemplares que im-
primió aquel modesto editor. En mi siguiente novela ya me inquietaba no llegar a vender más de
dos mil ejemplares, y las críticas, aunque favorables, me parecían pocas y mezquinas. Apenas hu-
be ganado el premio editorial más importante del
país, empecé a desear con ansia el Premio de la
Crítica, y cuando me lo dieron, sentí que lo que
de verdad me dejaría satisfecho sería conseguir
el Premio Nacional. Me concedieron el Nacional,
pero comprendí que mi obra no tenía toda la re-
sonancia que merecía en el ámbito americano, y
hasta que no me galardonaron con el Premio Ró-
mulo Gallegos me encontré muy desazonado. La
desazón no cesaba, porque me parecía que mis libros estaban poco traducidos, y cuando se multi-

plicaron las ediciones extranjeras, el número de ejemplares no respondía nunca a mis expectativas de difusión. Se hacían tesis sobre ellos en bastantes universidades del mundo, aunque me mortificaba que en muchas otras fuesen menos valorados. Entonces deseaba vivamente ingresar en la Real Academia. Me nombraron académico, y empecé a sentirme desafortunado porque mi nombre no sonaba para el Premio Cervantes. Me concedieron el Cervantes, pero mi alegría duró poco, porque estaba convencido de que una obra de la envergadura de la mía era merecedora del Premio Nobel. Cuando por fin conseguí el Nobel, me defraudó que no fuese noticia clamorosa en todos los periódicos del planeta. Tanto desasosiego sobre mi significación literaria había ido debilitando mucho mi corazón, y fallecí de modo repentino, cuando todavía no era viejo, al salir de un homenaje en mi honor al que no asistieron todos los personajes que deberían haberlo hecho. Ahora, en el salón de juntas del Parnaso, compruebo con insufrible decepción que son otros, demasiados, quienes ocupan los sillones preferentes.

VIVIENDA INHABITABLE

EL TIRANO GERIÓN, para mostrar a sus miserables súbditos su desprecio por ellos y la grandeza de su poder, ordenó construir la mayor vivienda inhabitable del mundo, un edificio gigantesco, de ciento trece pisos contrahechos, centenares de escaleras que no conducían sino al vacío, miles de habitaciones desprovistas de suelo y de pasillos que enlazaban paredes sin salida, innumerables ventanas ciegas. Cuando Hércules derrotó a Gerión, en vez matarlo lo condenó a vivir en aquel lugar inhabitable hasta el final de sus días. Se dice que el tirano enloqueció muy pronto y que acabó suicidándose. Pero también se dice que verse recluido en aquel lugar le hizo considerar lo descomunal de su caprichosa soberbia, y que murió arrepentido. El caso es que, desaparecido el tirano, con el paso de los años las gentes sin hogar fueron desmantelando el edificio para aprovechar sus elementos arquitectónicos, las piedras de los muros, las columnas de los pórticos, los peldaños de las escaleras, los dinteles de las puertas y las ventanas. Así, la vivienda inhabitable suministró material para la construcción de infinidad de modestos cobijos, y cuando la memoria de Gerión y de su tiranía se habían perdido, las mujeres parían al resguardo de las habitaciones levantadas con los restos de aquel edificio infame cuya existencia ya nadie conocía.

TEMORES INFUNDADOS

ESTA MAÑANA me he despertado con un miedo angustioso a no poder volar, y la desagradable impresión persistía mientras iba subiendo por la escalera de la terraza, con la gabardina bien ceñida y mi cartera colgada de una mano. Sin embargo, me he lanzado al vacío, he emprendido el vuelo sin problemas, y he llegado con toda puntualidad a la oficina.

LA CAMISA DEL HOMBRE INFELIZ

DESPUÉS de que se fueron los emisarios del Rey, el hombre feliz comenzó a pensar en lo descomunal de aquella indigencia suya, nunca antes descubierta. Con el correr del tiempo, esta reflexión le fue amargando la vida. Así, el hombre que no tenía ni camisa acabó considerándose el más desdichado del mundo.

AGUJERO NEGRO

EL HOMBRE PASEA por la playa solitaria y encuentra, depositada en la orilla por las olas, una botella de cristal negro, con una señal muy extraña impresa en su tapón. Mientras lo desenrosca, el hombre piensa en sus lecturas de niño: el genio cautivo, los mensajes de náufragos. Abierta, la botella inicia una violentísima inhalación que aspira todo lo que la rodea, el hombre, la playa, las montañas, los pueblos, el mar, los veleros, las islas, el cielo, las nubes, el planeta, el sistema solar, la Vía Láctea, las galaxias. En pocos instantes, el universo entero ha quedado encerrado dentro de la botella. El movimiento ha sido tan brusco que se me ha caído la pluma de la mano y han quedado descolocados todos mis papeles. Recupero la pluma, ordeno los folios, empiezo a escribir otra vez la historia del hombre que pasea por la playa solitaria.

AUGURIOS

AUNQUE NO LO SEPAMOS, el siglo XXI no ha comenzado aún. La mentira de los poderosos, las guerras ilegales, la sangre que los fanáticos hacen derramar, la desdicha del mundo, pertenecen todavía al siglo XX y a los anteriores. Cada noche echo los dados esperando una señal, estudio la alineación de los planetas, observo los posos del café. Esta mañana tres palomas blancas se posaron en mitad del cruce. Juntas, quietas, componían la figura de un excelente augurio. ¿Una señal del siglo nuevo? Un veloz motorista atravesó de repente la calzada. Una de las palomas se aleja cojeando. Otra vuela con aleteo herido. La tercera ha quedado destripada sobre el asfalto: sus plumas y su sangre componen una estrella que no puede ser benéfica. Habrá que seguir esperando.

Conspiración

La CONSPIRACIÓN se adivinaba en el pulso de la ciudad, una vibración de desorden que influía en la manera de comportarnos todos, la mirada intensa de la quiosquera, las sonrisas extrañas de los barrenderos, el guiño del mendigo, los susurros de los viajeros del metro, el júbilo excesivo de los escolares. Lo que no podíamos imaginar era que las víctimas de la conspiración íbamos a ser precisamente nosotros.

Lengua desconocida

LAS NUBES han dejado asomar el sol un momento, la placita parece haberse hecho mayor de repente, y la ola de luz hace resaltar entre el césped un alineamiento irregular de losas sucesivas, con palabras grabadas en la misteriosa lengua del país. Voy pisándolas, una tras otra, leyendo con esfuerzo esas inscripciones ininteligibles. Las losas terminan en otra losa más grande con una gran cruz, y desde ella se inicia otro camino sinuoso de losas con cruces grabadas en ellas, griega, aguzada, potenzada, flordelisada, horquillada, patada, recruzada... que voy pisando también mientras las cuento, una, dos, tres, cuatro, cinco, seis... Estoy a punto de llegar a la última, cuando veo a la mujer que cruza la plaza y se acerca corriendo, agitando los brazos en un gesto disuasorio, gritando palabras que tampoco entiendo.

JOSÉ MARÍA MERINO

Bodas sordas

En navidades, en vacaciones, yo ayudaba en la librería de mi tío. La dependienta se llamaba Elvira, era morena, de mirada intensa. Yo había descubierto ciertas novelas que encendían mi sangre: los amores de Dafnis y Cloe, los esfuerzos de Julian Sorel por conquistar a madame de Rênal. Me zambullía en los libros cuando no había clientes, y una vez que Elvira se interesó por mi lectura, le leí la escena en que la doncella Placerdemivida facilita a Tirante la visión de la princesa Carmesina desnuda, y luego el tacto de su cuerpo. En la penumbra brillaban los ojos de antracita de Elvira, me sentí quemado por ellos, y no me atreví a seguir. Esto fue poco antes de la feria. Aquel año mi tío necesitaba más ayuda, y Elvira llevó a una prima suya de mi edad, Ofelia, blanca, gordita, de ojos claros. En el espacio angosto de la caseta, el acarreo de libros facilitó nuestros roces, una vez le palpé los pechos, otra le robé un beso, pero siempre se mostraba lejana, burlona. Me desasosegaban sus continuos apartes con Elvira, las confidencias risueñas entre ellas. La víspera de la inauguración, ante el desorden del ferial, mi tío me pidió que durmiese en la caseta, en una colchoneta de aire. Como un personaje novelesco, le propuse a Ofelia que viniese conmigo durante la noche. Se echó a reír sin contestarme. Quedé solo, la lluvia puso en la oscuridad un fuerte aroma de primavera cumplida. Al fin golpetearon la puerta y unos brazos femeninos me rodearon en la negrura: había venido. Nos besamos, nos tumbamos en el colchón, nos acariciamos. Fue mi primera noche con una mujer. Me quedé dormido un rato y, al despertar, el amanecer borroso me hizo descubrir los ojos de Elvira cercanos, incandescentes.

PARÁBOLA BILINGÜE

Yo HEREDÉ de mis padres una casa. Tú heredaste una de tus padres y otra de los míos. Ahora dices que rechazas la casa que heredaste de mis padres, que estás dispuesto a destruirla, a quemarla. Haz lo que te dé la gana: serás tu quien se empobrezca, no yo.

DEL CAMBIO

EN LA HUERTA empezó a germinar un nabo, resto sin duda de la cosecha del año anterior. Dos días después de que advirtiese la aparición del brote, la campesina pudo observar que la nabiza se estaba desarrollando velozmente. No nos entretendremos en describir el tamaño que la planta adquirió a lo largo de las siguientes cuarenta y ocho horas, solamente diremos que el penacho herbáceo que corona la raíz carnosa alcanzó pronto más de treinta metros de altura, que toda la planta conservaba esas proporciones, y se calculó que la raíz podría alcanzar los cien metros de profundidad, con un diámetro en la parte superior de unos veinte metros, con lo que no sólo ha desarraigado muchos de los viejos árboles que crecen en los alrededores del huerto, sino que está haciendo tambalearse la pequeña vivienda de la campesina. La aparición del gigantesco nabo ha conmocionado a Europa, y su noticia e imágenes arrinconaron en los medios de comunicación a todas las demás. Considerando la evidente naturaleza agrícola del nabo, tan grande como muchos de los monumentos inmortales que nos han dado nuestra personalidad arquitectónica y cultural, una comisión de ministros del ramo de la Unión Europea se ha desplazado a la aldea para contemplar la titánica readal. Absortos ante el extraordinario fenómeno, los ministros han podido advertir que de repente se producen en él nuevas transformaciones, y parece que continúa creciendo. A estas horas, el gigantesco nabo ha duplicado su tamaño. Nunca se ha conocido una expectación así. En fuentes científicas se asegura que el nabo se apropiará de todo el planeta, haciendo imposible otra forma de vida. Seguiremos informando.

Antitabáquica

«Después de fumado el último cigarrillo, las cajetillas restantes se amontonarán en el patio de armas, y el dragón las quemará, exhalando su también postrera bocanada flamígera». El heraldo ha leído el decreto, el dragón aspira entre gorgoteos, arroja al fin de las fauces la llamarada, pero es tal que no solo quema la pira de cajetillas sino también al rey, a la reina, a las damas, a las dueñas, a los caballeros, a los bufones. Muchos años después, los campesinos siguen fumando junto a los muros del castillo, cada vez más ruinoso.

JOSÉ MARÍA MERINO

Dos cuentos de Navidad

Los magos perdidos

Alrededor de las cuadras y los corrales se habían refugiado muchos forasteros pobres, numerosas familias sin hogar. Nunca olvidaré la estrella brillando tan cercana sobre los míseros cobijos improvisados. Nunca olvidaré el asombro de los harapientos ante los jaeces lujosos de los camellos y las ropas doradas de la comitiva. Nunca olvidaré las idas y venidas de los Reyes desorientados, incapaces de encontrar al Niño entre tantos recién nacidos que lloraban bajo la helada.

Solsticio de invierno

En el cielo del amanecer brillaba con fuerza aquel insólito lucero que la gente común contemplaba con asombro, pero el capitán sabía que era uno de los satélites de comunicaciones que permitían a su ejército mantener la supremacía en aquella guerra interminable.

–Mi capitán –transmitió el cabo–. Aquí solo hay varios civiles refugiados, unos pastores que han perdido el rebaño por el impacto de un obús y una mujer a punto de dar a luz.

El capitán, desde la torreta del carro, observaba el establo con los prismáticos.

–Registradlo todo con cuidado.

–Mi capitán –transmitió otra vez el cabo, también hay un perturbado, vestido con una túnica blanca, que dice que va a nacer un salvador y otras cosas raras.

–A ese me lo traéis bien sujeto.

–Mi capitán –añadió el cabo, con la voz alterada–, la mujer se ha puesto de parto.

–Bienvenido al infierno– murmuró el capitán, con lástima.

A la luz del alba, aparecieron en la loma cercana las figuras de tres camellos cargados de bultos y montados por jinetes de raras vestiduras, y el capitán los observaba acercarse, indeciso.

–Abrid fuego –ordenó al fin–. No quiero sorpresas.

EL DESPOSEÍDO

AQUELLA NOCHE, al regresar a casa, mi sirena me dijo que me abandonaba, que se iba para siempre con el trasgo del desván. Los años no me han dejado olvidar sus besos salados ni su aroma marino, pero lo peor fue que el trasgo se llevó mi colección filatélica.

MAR SÚBITO

EL VIAJERO ha llegado esta misma tarde a Córdoba y se ha acercado a visitar la Mezquita, el más venerable de sus monumentos. Ya está cerrada a las visitas, y solo el patio permanece abierto. La luz de la tarde se hace a menudo plomiza por las nubes que pasan. El viajero contempla los naranjos y los cipreses bajo los que se mueven algunos otros visitantes, mientras recorre los soportales y escucha el borboteo de una fuente. El suelo del patio lleva, en suave pendiente, al espacio rectangular que antecede a la propia mezquita, cubierto de grandes losas rectangulares, muchas restauradas, y el viajero descubre en el suelo un brillo de charcos, el agua de lluvia que ha quedado en los huecos de las losas más erosionadas por el tiempo. En esas piedras carcomidas hay restos de conchas fósiles y, tan lejos de la costa, el viajero tiene una súbita intuición de bajamar. De repente, entre el zureo de las palomas le parece atisbar un ruido de olas.

Mira a su alrededor y encuentra que el patio está ya vacío de visitantes, y que por el umbral de una de las portaladas ha entrado una masa de agua, una onda que se desparrama varios metros antes de retroceder. Desconcertado, el viajero vuelve la vista a la portalada del otro lado y descubre que también allí se ha producido la súbita avenida de agua. Permanece perplejo unos instantes, y de nuevo la onda, esta vez más impetuosa, entra simultáneamente por las dos partes y acerca hasta él su leve cresta blanca, antes de retirarse. En el gran patio ya no se oye otro sonido que el ruido del mar. La tercera oleada que llega desde las dos portaladas es tan impetuosa que está a punto de alcanzarle: una ola ya perceptible, espumosa. Sintiendo una confusión despavorida, el viajero deja el enlosado y se aleja con grandes pasos, ascendiendo hacia la otra parte del patio. Cuando se detiene para contemplar lo que está sucediendo frente a la mezquita, ya no encuentra ninguna señal del mar, el ruido de olas ha cesado, las palomas zurean otra vez, y por las portaladas lo único que entra son algunos turistas con sus cámaras fotográficas.

LA VERDADERA HISTORIA DE ROMEO Y JULIETA

LAS DOS FAMILIAS más ricas de la comarca esperaban que su gran amistad se fortaleciese todavía más con el matrimonio de sus respectivos vástagos, Romeo y Julieta. Pero estos no llegaron a casarse porque entre ambos hubo, desde que eran niños, un aborrecimiento que el paso de los años no logró desvanecer. Al fin, Julieta se escapó con el trapecista de un circo. En cuanto a Romeo, quiso casarse con una muchacha de su vecindad llamada Desdémona, pero ella prefirió a un tal Otelo.

LIBRO MÁGICO

ESPERABA LA EJECUCIÓN y su última voluntad había sido leer un libro que debieron llevarle de su domicilio. Al alba, cuando abrieron su celda para conducirlo al patíbulo, el reo había desaparecido. Todo fue analizado con minuciosidad, y el libro despertó sospechas: parecía que estaba escrito en un idioma extraño, mas el teniente descubrió que no era así, sino que se había impreso con el texto ordenado al revés, y que había que comenzar a leerlo de derecha a izquierda, a partir de la última línea de la página final, como si fuese escritura árabe. Él lo hizo aquella noche, y también desapareció. Sherlock Holmes, a quien por fin pidieron ayuda, nunca se perdonó la pérdida de su amigo y colaborador, el doctor Watson, que, por encargo suyo, leyó el libro tan estrafalariamente impreso, y a quien ya nadie pudo encontrar nunca más. El gran detective aconsejó destruir el libro. El juez resolvió que se quemase, pero no sin antes dejar fijadas ciertas características, como prueba material: al menos, la clase y el número de vocales, consonantes y signos ortográficos de que el texto se componía. Este libro contiene exactamente el mismo número de cada vocal, de cada consonante y de signos ortográficos que aquel, pero te aseguro que, cuando termines de leerlo, no desaparecerás.

LA CITA

HOLA, SUSURRA, y comprendo que esta vez ya no despertaré.

SEGUNDA PARTE:

LA GLORIETA MINIATURA

La glorieta miniatura

Intervención en el IV Congreso Internacional de Minificción, Universidad de Neuchâtel, 6 a 8 de noviembre de 2006

Apéndice: *Diez cuentines congresistas*

La glorieta miniatura
(veinticinco pasos)

1. De lingüista a lector

EL PROFESOR SOUTO, conocido lingüista, riguroso semiótico, un día no fue capaz de encontrar en las palabras otro significado que su mero sonido, y entró en un delirio que lo aquejó durante años. Pero otro día pudo leer un cuento, y al descubrir que las palabras no eran otra cosa que el vehículo de aquella ficción que el cuento relataba, recuperó la cordura. El lingüista se había hecho lector, al fin.

2. LA PRIMERA SABIDURÍA

LA FICCIÓN fue la primera sabiduría de la humanidad. Cuando la realidad exterior parecía solo un conjunto de adversidades incomprensibles, hostiles, violentas, la ficción ayudó a entenderla: el sol es una brasa que una mano inocente lanzó una vez al cielo, el viento nos trae la voz de los muertos, la lluvia derrama de repente sobre nosotros las lágrimas perdidas, en los sueños nos habla lo que deseamos o lo que tememos. La ficción fue la primera forma comprensible de la realidad.

3. PARADOJA FUNDACIONAL

NO FUE EL SER humano quien inventó la ficción, fue la ficción lo que inventó al ser humano, pensó el profesor Souto, y se sintió más cuerdo que nunca.

4. Las historias de siempre

«Desde que la ficción nos inventó, contamos las mismas historias, una y otra vez. El día que contemos una historia realmente nueva, diferente, nuestra especie ya no podrá llamarse *homo sapiens sapiens*». Y alguien entre el público exclamó: pues yo creo que eso es una historia nueva, profesor.

5. PÁGINAS PUERTAS

EL PROFESOR SOUTO, después de pasar tantas y tantas páginas de ficciones, comprendió que eran puertas, y después de cruzar tantas y tantas puertas, descubrió el Jardín Literario.

6. DEL JARDÍN LITERARIO

EL JARDÍN LITERARIO ocupa el mismo territorio que en su día ocupó el Edén. En él habitan miles de Adanes y de Evas, en él hay toda clase de plantas y numerosos árboles de la ciencia del Bien y del Mal. Por él pasea Dios, unas veces con tricornio, otras con turbante, otras con solideo, pero siempre con barba blanca. También pasea por allí Zeus y danza Siva, y Manitú afila sus flechas, pero hay ocasiones en las que ningún dios existe, y se escucha una flauta que entona la melodía de la misteriosa soledad humana. También anda por allí Satanás, a veces en la forma rastrera de la serpiente, otras vestido de rojo, e incluso disfrazado de sacerdote, imán o rabino. Hay ángeles acorazados, de espadas flamígeras, y ángelas con los pechos al aire y libros de versos y rosas en las manos. En el Jardín Literario conviven todas las identidades humanas y todas las conductas animales. Abundan los héroes y las heroínas, los malvados y las perversas, las gentes abnegadas, traidoras, cobardes, visibles e invisibles. Hay dragones y gatos, leones y cuervos, asnos y águilas bicéfalas, ruiseñores y monstruosos insectos. Las manzanas son allí fruta común, y no sucede nada catastrófico al comerlas, o al regalarlas, o al verlas caer de los manzanos.

7. La historia del corazón

El profesor Souto, a lo largo de sus investigaciones, descubrió que la verdadera historia de la humanidad se encuentra en el Jardín Literario, porque solo allí está la historia del corazón humano, con todos sus latidos, sus pasiones, sus quimeras, sus infartos.

8. Orientaciones

En el Jardín Literario resuenan los versos y los diálogos teatrales, se habla en todas las lenguas y desde todas las formas de la conjugación verbal. En él se suceden los senderos, las escalinatas, los bosquecillos, las colinas, los estanques, las acequias con sus puentecitos, los cenadores. Está la pérgola de las elegías, el camino de los sonetos laureados, los parterres de la poesía de la experiencia y el pabellón en cuya columnata se enredan los poemas del conocimiento, la colina de las novelas totales y la loma de los best-sellers, hacia la parte de los lavabos. A veces hay laberintos, y en ellos pueden encontrarse lectores de mirada extraviada, que ya ni siquiera recuerdan cómo se pregunta por la salida de emergencia.

9. LA GLORIETA MINIATURA

EN UNO DE LOS EXTREMOS del Jardín Literario, lindando con los alcorques de la leyenda, los macizos de la fábula, los parterres y pabellones de la poesía y las praderas del cuento, se halla la Glorieta Miniatura. Hay muchos que al llegar allí quedan desorientados, porque los relatos diminutos no les permiten ver el inmenso bosque de la ficción pequeñísima.

10. La ficción pequeñísima

En el inmenso bosque de la ficción pequeñísima, que rodea la Glorieta Miniatura del Jardín Literario, hay también innumerables especies vegetales, y en él pululan hombrecillos y mujercitas, pájaros casi microscópicos y toda clase de objetos y animales de tamaño también muy reducido. Para que os hagáis idea, allí los dinosaurios tienen el mismo tamaño que las musarañas en el resto del Jardín. Y cuando la gente se despierta, esos dinosaurios siguen allí.

11. La obra de una vida

EL PROFESOR SOUTO ha dedicado buena parte de su vida, más de veinticinco años, a la investigación de los especímenes en los alrededores de la Glorieta Miniatura, y su exhaustivo trabajo sobre las ficciones brevísimas alcanza la suma de diez mil y uno caracteres (con espacios), es decir ¡casi siete folios completos!

12. A PRIMERA VISTA

UNO DE LOS PRINCIPIOS de jardinería en la Glorieta Miniatura es que el microcuento más largo
y el cuento literario más corto tienen la misma
extensión, lo que suele confundir incluso a los
especialistas.

13. La podadera

Para el vigoroso crecimiento del cuento minúsculo es muy conveniente el arte de la poda: hay jardineros enloquecidos que sueñan con conseguir un minicuento que no precise texto, ni título.

14. DE SAPROFITAS

Así COMO LAS SETAS son saprófagas y se alimentan de materia orgánica en descomposición, gran número de relatos hiperbreves se alimenta de materia literaria ya muy macerada por el tiempo y las relecturas. Las variedades de microficciones son tan numerosas como las de setas. Y también es preciso conocerlas lo mejor posible, para no intoxicarse, aunque lo cierto es que nadie ha muerto envenenado por un minicuento.

15. DE SIMBIOSIS

HAY ENTRE MUCHOS relatos mínimos una fuerte tendencia a vivir de las energías y de la memoria del lector. Esos microrrelatos cobran la figura de una ficción, y el lector pone casi toda la sustancia. En el proceso de lectura, el minicuento segrega un peculiar fluido hipnótico, de manera que tal vez el lector está leyendo algo ya conocido que, bajo la forma de tal minificción, tiene sabor de primera lectura.

16. DE ACOPLAMIENTOS

LOS MEJORES MICRORRELATOS son los que toman
tanto como dan: ellos se fortalecen con la memoria del lector, y él se regocija con la nueva apariencia del mito: un toma y daca tan perfecto y
satisfactorio como una buena cópula.

17. MINICUENTOS CARNÍVOROS

OJO, ENTRE LAS FORMAS de la ficción brevísima hay algunas carnívoras, que llegan a morder. Pero solo se las puede identificar desde la experiencia. Lo mejor es no acercarse. Si las ves muy hurañas, da un rodeo.

18. Otras especies

Aparte de las especies más comunes, hay minificciones aerófagas, y pirófagas, y otras que viven en el agua y del agua, y otras del gusto de reír, y otras del gusto de sufrir, porque los posibles nutrientes son innumerables. Un minicuento podría brotar incluso en este mismo texto, si es que no ha brotado ya.

19. HIBRIDACIONES

LO MÁS SORPRENDENTE del jardín de los microrrelatos es cómo son capaces de polinizarse, o diseminar sus esporas, para conseguir infinitas hibridaciones. Un poema acaba fecundando a una fábula que pone un huevo en forma de aforismo y termina con un beso ávido o una puñalada entre los protagonistas. Muy difícil encontrar los patrones de comportamiento, las pautas biológicas y reproductoras: así hablaba el profesor Souto.

20. Mutaciones

También las mutaciones son interminables, y solo el talento del jardinero, que también debe saber lo suyo de biología, permite que encontremos un minicuento nuevo y sorprendente en eso que tantas trazas tiene de aquel relato brevísimo que nos deslumbró una vez, y que acaso escribió un tal Chuan Tzu hace cientos y cientos de años.

21. Floración repentina

El espectáculo más memorable desde la Glorieta Miniatura es ver cómo florecen las minificciones: a cualquier hora del día y de la noche, con lluvia y con sol, bajo la helada y contra el viento, abren imprevisiblemente sus pétalos de infinitas formas y colores, y los vuelven a cerrar casi antes de que el curioso pueda advertirlo claramente. Hay que tener buena vista, y paciencia.

22. Tres sentencias
LO MÍNIMO DE MAGISTRALES

I.– Todo se vuelve a contar, unas veces re-creándolo, otras tal como siempre se contó. Pero si cuentas ahora la Odisea, aquella, solo tendrá sentido si no pasas de las treinta líneas. Como mucho.

II.– Las buenas ficciones mínimas pueden re-cordar notablemente a los abuelos, pero jamás deben tener sus mismos rasgos.

III.– *En el jardín de la minificción hay que precaverse contra la abominación del clon.*

23. Sobre velocidad

¿RELATOS VERTIGINOSOS, ficciones súbitas, cuentos fugitivos? De acuerdo, pero el buen microrrelato debe moverse con mucha rapidez mientras permanece inmóvil.

24. Una mordedura

Investigaba las especies del Jardín Literario:
los ecos del cenador de los monólogos lo ensor-
decían, el rincón de las elegías le producía algo
de alergia, solía ortigarse en la glorieta de los sonetos, en el sendero de la poesía de la experiencia daba demasiado el sol, a veces le sofocaba el
intenso aroma de las novelas totales, le aburrían
cósmicamente los *best sellers*. Solía descansar en
uno de los prados que rodean la Glorieta Miniatura, entre los relatos brevísimos, pero un día se
quedó dormido y un minicuento carnívoro le mor-
dió en un brazo. La mordedura se infectó, y quedó
manco. Así fue como se le ocurrió escribir el Quijote más breve del mundo.

25. Historia de Don Quijote

En un lugar de La Mancha vivió un ingenioso hidalgo y caballero que estuvo a punto de derrotar a la Realidad.

Apéndice:
Diez cuentines congresistas

CORPUS Y CANON

Para David Lagmanovich

PERSEGUIDO por el Canon, el Corpus llegó a un callejón sin salida.

–¿Por qué me acosas? –preguntó el Corpus al Canon–. No me gustas– añadió.

–El gusto es mío –replicó el Canon, amenazante.

Sin título

I.

El IV Congreso sobre Minificción comenzó en la tarde del día 8 y terminó en la mañana del día 6. Los asistentes se sintieron confusos, porque les parecía que se había desarrollado con demasiada rapidez.

II.

—Si supiérais lo que he menguado —dijo el relato, y terminó.

GENÉTICA

Para Ana Casas y David Roas

MICRORRELATO se casó con Minificción y tuvieron muchos minicuentos, pero todos les salieron bobos, menos uno al que llamaron Cuentín.

VIDA DE HOTEL

Para Raúl Brasca

TU CUERPO se refleja en el espejo del cuarto de baño, el rostro borrado por el vaho. Temes que el vaho se despeje.

FINAL INFELIZ

Para Juan Pedro Aparicio

UN CUENTÍN y una cuentina se encontraron en una mesa redonda y se escaparon juntos, pero un profesor los logró atrapar de nuevo y los devolvió a la antología. A ella la puso en la jaula de las minificciones y a él en la de los microrrelatos. Nunca más volvieron a encontrarse.

PLAGA

Para Luis Mateo Díez

EN POCO TIEMPO, la casa se le llenó de micro-rrelatos. Se multiplicaban incesantemente, y empezaron a ser muy dañinos en la biblioteca. Ni trampas ni venenos pudieron exterminarlos, y tuvo que trasladarse a otra vivienda. Ahora cree que sus libros están a salvo, sin saber que miles de microrrelatos están rodeando la casa y que nada podrá evitar la invasión.

SORPRESA PELIGROSA

LUISA VALENZUELA nos dijo que acababa de descubrir que «funicular» era un verbo. Al escucharla, el tren, acostumbrado a bajar y subir en una aburrida e interminable rutina, sintió tal sorpresa que se detuvo un instante en mitad de la pendiente. Si no hubiese recuperado instantáneamente el sentido del motor, hubiéramos caído marcha atrás, cuesta abajo, y seguro que habríamos quedado todos completamente funiculados.

ALTOS DESIGNIOS

Para Julia Otxoa y Ricardo Ugarte

INSPECCIÓN GENERAL del universo. En el sistema solar, encuentran al tercer planeta hecho un desastre. «Estos bichos lo han llenado todo de porquería», dice el Espíritu Santo. «Habrá que limpiarlo», replica el Hijo. «De acuerdo. Desde mañana, Cambio Climático», ordena el Padre.

FINAL NO SEXISTA

Para Ana María Shua

ABEJAS Y ABEJOS, ardillas y ardillos, arañas y araños, cigarras y cigarros, focas y focos, golondrinas y golondrinos, jirafas y jirafos, lampreas y lampreos, langostas y langostos, merluzas y merluzos, morsas y morsos, moscas y moscos, nécoras y nécoros, nutrias y nutrios, ranas y ranos, ratas y ratos, truchas y truchos, urracas y urracos, os saludo a todas y a todos, y os vaticino que, tal como se están poniendo las cosas en este planeta, tenéis los días contados.

Otras dedicatorias

Días Imaginarios es para Félix de la Concha, maestro en la técnica alla prima.

Cuentos del libro de la noche es para Maricarmen, que sigue soñando a mi lado.

«Andrómeda» es para mi hija María.

«Año Nuevo» es para Ignacio Soldevila Durante.

«Foto antigua» es para Marifé Santiago Bolaños.

«El bienmesabe» es para Antonio Abdo, que me lo contó.

«Las seis» es un homenaje a Fredric Brown.

«La tostadora» es para Poli Navarro.

«Génesis 3», «Andrómeda», «La vuelta a casa», «El efecto iceberg», «El final de Lázaro», «Ni colorín ni colorado» y «La cuarta salida», fueron publicados en el número 235 de la revista *Quimera*, cuando la dirigía Fernando Valls, bajo el título «Siete Di-versiones», con la siguiente nota: Estamos celebrando el centenario del nacimiento del gran Max Aub. A su memoria estas siete di-versiones max –o menos– aubianas.

Inéditos y dispersos es para el maestro Medardo Fraile.

Referencias bibliográficas
de los cuentos publicados

De *Días imaginarios*. Seix Barral, Biblioteca Breve, Barcelona, 2002. (Premio NH 2003 al mejor libro de relatos publicado en 2002).

—«La memoria confusa», «Un regreso» y «Reunión conmemorativa». «Tres historias de viajeros» en *La mano de la hormiga. Los cuentos más breves del mundo y de las literaturas hispánicas*. Antología por Antonio Fernández Ferrer. Fugaz, Ediciones universitarias. Madrid, 1990.

—«Ecosistema». *Dos veces cuento. Antología de microrrelatos*, por José Luis González. Ediciones Internacionales Universitarias. Madrid, 1998.

—«Ecosistema». *Ojos de aguja. Antología de Microcuentos*. Edición de José Díaz. Círculo de Lectores, Barcelona, 2000.

—«Ecosistema» y «Terapia». *Por favor, sea breve. Antología de relatos hiperbreves*. Edición de Clara Obligado. Ed. Páginas de Espuma, Madrid 2001.

—«La memoria confusa», «Lejanías» y «Cien». *Dos veces bueno. Cuentos breves de América y España.* Antología por Raúl Brasca. Desde la gente. Ediciones del Instituto Movilizador de Fondos Cooperativos. Buenos Aires, 2002.

—«Ecosistema» y «Un regreso». *Grandes minicuentos fantásticos.* Selección de Benito Arias García. Alfaguara, Madrid 2004.

—«Ecosistema», «Lejanías», «Terapia», «De fácil acceso» y «Cien». *La otra mirada. Antología del microrrelato hispánico,* por David Lagmanovich. Menoscuarto ediciones, Palencia, 2005

—«Carrusel aéreo», *De mil amores. Antología de microrrelatos amorosos,* por Raúl Brasca. Thule ediciones, Barcelona, 2005

—«Cien». *El microrrelato. Teoría e historia.* «Corpus, sección B. Entre 20 y 30 palabras». David Lagmanovich. Menoscuarto ediciones, Palencia, 2006.

—«Lejanías». *Nosotras, vosotras y ellas. Antología de cuentos breves.* Selección y prólogo por Raúl Brasca. Desde la gente. Ediciones del Instituto Movilizador de Fondos Cooperativos. Buenos Aires, 2006.

De *Cuentos del libro de la noche.* Alfaguara, Madrid 2005

—«Génesis 3», «Andrómeda», «La vuelta a casa», «El efecto iceberg», «El final de Lázaro», «Ni colorín ni colorado» y «La cuarta salida». *Ciempiés, los microrrelatos de Quimera.* Antología. Edición de Neus Rotger y Fernando Valls. Ed. Montesinos, Barcelona, 2005.

—«La camisa del hombre infeliz». *Tres semanas de mal dormir,* José María Merino. Ed. Seix Barral, 2006.

Este libro se terminó
de imprimir en agosto
del año 2007.